Małgorzata J. Kursa

Jeszcze więcej nieboszczyków,
czyli śledztwo z pazurem

Nasza Księgarnia

KU-472-214

Text © copyright by Małgorzata Kursa, 2018
© Copyright by Wydawnictwo „Nasza Księgarnia", Warszawa 2018

Layout okładki *Olga Reszelska*
Projekt okładki *Karia Korobkiewicz*
Zdjęcie autorki z archiwum rodzinnego

Zdjęcia na okładce:
© Lapina/Shutterstock.com
© Hawk777/Shutterstock.com

Z dedykacją dla mojej Kropki
i wszystkich czworonożnych Przyjaciół,
którzy odeszli za Tęczowy Most.

Jeszcze więcej nieboszczyków,

czyli śledztwo z pazurem

52 445 288 1

W serii

Babie lato

PRZEDMOWA BELZEBUBA

Nazywam się Belzebub i jestem kotem. Pochodzę z Lublina, ale teraz mieszkam w Kraśniku i mam na swojej czarnej głowie cały dom, a – wierzcie mi – to niemało. Moi dwunożni, czyli Marylka i Sławek Lipscy, nie bez powodu uważają mnie za kota obronnego. W końcu ocaliłem ich mienie przed intruzami z zewnątrz (o czym możecie przeczytać w książce *Nieboszczyk wędrowny*). Ukatrupieniem jednego co prawda przyczyniłem im trochę pracy, za to drugiego upolowałem bardzo miłosiernie: unieszkodliwiłem, ale pozwoliłem przeżyć. I to tylko z miłości do Marylki, bo ona dość nerwowo reaguje na obecność nieboszczyków na naszym terytorium i od razu zabiera się do eksmisji.

Ja uważam się raczej za kota bojowego, ale o tym moi dwunożni nie muszą wiedzieć. Marylka ma dosyć histeryczne usposobienie i lekkiego bzika na punkcie mojego bezpieczeństwa. Tylko dzięki naszej sąsiadce z naprzeciwka mogłem zaznać rozkoszy spacerów, a dzięki własnej inwencji – samodzielnego zwiedzania okolicy. I właśnie te moje dyskretne nocne przechadzki zaowocowały nietypowymi znaleziskami.

Ale po kolei…

Gdyby przyznawano medale w kategorii „lenistwo", dwudziestosześcioletnia Bożena Szklarska z pewnością stanęłaby na najwyższym stopniu podium. Leniwa była od zawsze, co najwyraźniej dało o sobie znać w czasach szkolnych. Jakimś cudem udało jej się skończyć podstawówkę i gimnazjum, ale już o maturze nie chciała słyszeć. Matka odpuściła, niestety ojciec zapowiedział, że darmozjada w domu trzymał nie będzie (oprócz najstarszej córki miał do wykarmienia jeszcze czwórkę jej rodzeństwa). Rada nierada, Bożenka musiała porządnie przyłożyć się do robót domowych, wykonywanych pod krytycznym okiem wymagającej matki, ale już następnego dnia po osiągnięciu pełnoletniości prysnęła z domu w poszukiwaniu lepszego życia (zabierając ze sobą pieniądze ciułane przez rodziców na czarną godzinę). Daleko nie szukała. Z podkraśnickiej wsi dotarła do miasteczka, po czym szybko przekonała się na własnej skórze, że aby jakoś egzystować, musi znaleźć pracę.

Bożenka była leniwa, ale myśleć umiała. Nie zamierzała harować. Była młoda i – wedle swego mniemania – urodziwa. Należało więc nieco w siebie zainwestować, by osiągnąć to, co jej się należało jak psu kość. Ponieważ egzystencję damy lekkich obyczajów uznała za zbyt męczącą i przy tym niepewną, zabrała się do szukania zajęcia. Znalazła je w małym, eleganckim sklepiku obuwniczym, którego właścicielem był czterdziestodwuletni kawaler (!) Konstanty Szklarski. Przyłożyła się i zrobiła na nim takie wrażenie, że po trzech miesiącach została panią Szklarską i mogła zapomnieć o pracy zarobkowej. Zakochany i uszczęśliwiony małżonek podarował jej sklepik w prezencie ślubnym.

Po ośmiu latach małżeństwa Bożenka była bardzo zadowolona ze swojego życia – miała do dyspozycji piętrowy domek z ogrodem, była właścicielką butiku z obuwiem, małżonek wciąż ją wielbił i chętnie sponsorował jej wyjazdy do spa czy egzotyczne wycieczki, a dodatkowo powabna pani Szklarska, szczerze znudzona pożyciem małżeńskim, postanowiła przyhołubić sobie kochanka. Przetestowała kilku chętnych panów, po czym zdecydowała się na jednego stałego, odpalonych amantów pocieszając gratyfikacją pieniężną. Kiedy tylko naszła ją ochota na łóżkowe ekscesy, informowała o tym wybranka. Była z jego usług bardzo zadowolona. Buzował w nim zapał, jakiego jej małżonek nie wykazywał, a odpowiednie dofinansowanie sprawiało, że wszelkie jej pomysły erotyczne uznawał za świetną zabawę. Myśl, że wszystko może się wydać, nie zaświtała jej w głowie. Konstanty był poczciwym safandułą, który ślepo wierzył we wszystko, co Bożenka mówiła, i uważał ją za ósmy cud świata. W dodatku nie musiała nawet specjalnie troszczyć się o zacieranie śladów bytności amanta, bo dysponowała własną sypialnią. Zażądała jej stanowczo, gdy zaraz po ślubie okazało się, że mąż cierpi na lunatyzm.

Właśnie dochodziła dziewiąta. Małżonek od ósmej urzędował w warsztacie i nie było mowy, by wrócił przed osiemnastą. Odziedziczony po ojcu zakład rzemieślniczy z dumnym szyldem: „Szewc K. Szklarski" był jego oczkiem w głowie i ulubionym miejscem pobytu. Kiedy w czasie weekendu żonie udało się wyciągnąć Konstantego między ludzi, choćby do kościoła, zachowywał się jak fetyszysta, bo interesowały go wyłącznie dolne kończyny pobratymców i stan obuwia, które je chroniło.

Bożenka dopiła swoje ulubione latte z nowego ekspresu, który zafundował jej mąż, przeciągnęła się rozkosznie, aż rozchyliły się poły wściekle różowego szlafroczka, ukazując imponujący biust, po czym ruszyła do łazienki. Miała niewiele czasu. Koło dziesiątej miał się pojawić jej adorator. Zamierzała go powitać pachnąca i odświeżona.

Pchnął furtkę i wszedł na podwórko, pogwizdując pod nosem. Świadomość, że nie musiał się przed nikim ukrywać, napawała go czystą euforią. Bywanie w tym domu należało niejako do jego obowiązków służbowych; nikogo nie zdziwi jego obecność, nikomu nie przyjdzie do głowy żadne głupie podejrzenie. To, co za chwilę będzie się działo za drzwiami, na zawsze pozostanie słodką tajemnicą. Jego i tej kusicielskiej bogini, Bożenki.

Jak zwykle trzy razy przycisnął dzwonek przy drzwiach wejściowych, ale w środku panowała niczym niezmącona cisza. Uśmiechnął się pod nosem. Oho, dziś będzie ciekawie. Bożenka lubiła urozmaicenie i dość często go zaskakiwała.

Drzwi nie były zamknięte, więc bez żadnych złych prze-
czuć nacisnął klamkę i wszedł do środka. W obszernym
hallu niedbale rzucił torbę i kurtkę na podłogę, zerknął do
kuchni, potem do pokoju, wreszcie stanął przed wiodącymi
na piętro schodami.

– Bożenko! – zagruchał czule. – Kiciuniu moja… Przyszedł twój wierny pieseczek… Głodny pieseczek. Zły pieseczek…

W domu panowała głucha cisza, która go jednak nie zaniepokoiła. Bożenka miała inwencję, a on uwielbiał niespo-
dzianki.

Ostrożnie, niemal bezszelestnie zaczął wchodzić na górę.
Do sypialni dotarł prawie na palcach. Zobaczył tylko roz-
grzebaną pościel na łóżku. Po gospodyni nie było ani śladu.
Po namyśle wrócił zatem na dół, jeszcze raz obszedł wszystkie pomieszczenia i wreszcie rzuciło mu się w oczy zapalone
światło w łazience. Uśmiechnął się szeroko i, rozpinając gu-
ziki koszuli, szarpnął za klamkę.

Już w drzwiach go zastopowało. Zastygł jak kamień
i przez chwilę, która wydawała mu się wiecznością, próbował przełożyć przekaz wzrokowy na werbalny. Ten wzrokowy sprowadzał się do patrzenia na coś, co do tej pory widywał jedynie w filmach i czego absolutnie nie miał nigdy
zamiaru oglądać w realu. Ten werbalny – kiedy wreszcie coś
na zwojach zaiskrzyło – przetransponował obraz na słowa,
których sens całkowicie spętał mu nogi.

Na biało-różowej podłodze z płytek leżał niedbale ciśnię-
ty różowy jedwabny szlafroczek, w różowej, owalnej wannie

tkwiła zaś Bożenka. Bezpruderyjnie eksponowała wszystkie swoje wdzięki, więc widok powinien być estetyczny i zachęcający do wspólnych igraszek w wodzie. Estetykę jednakowoż psuły wytrzeszczone niebieskie oczy i, w jakimś drapieżnym geście, rozcapierzone palce. Bożenka wyglądała inaczej niż zwykle. No, kurczę, wyglądała okropnie!

Przez myśl mu przemknęło, że odtwarza jakąś scenę z filmu, żeby mu najpierw adrenalina podskoczyła, a potem dopiero... ten... no... ten, co to za film był... *Testosteron*! No!

Z nadzieją pochylił się nad wanną i wymruczał uwodzicielsko:

– Bożenka... Mam się rozebrać i wskoczyć do ciebie?

Wytrzeszczona bogini nie raczyła udzielić odpowiedzi i dopiero w tym momencie dotarło do niego, że osobiście doświadcza tego, co niedawno widział w jakimś filmie – w teoretycznie nieznanym domu znalazł jak najbardziej znaną nieboszczkę. A zaraz potem pojawiła się w jego głowie myśl, która sprawiła, że odrzuciło go od wanny. W każdym kryminale pierwszym podejrzanym stawał się niefortunny znalazca zwłok. Jeśli znajdzie się bodaj jeden świadek jego częstych wizyt, policja doda dwa do dwóch i oskarży go o zabójstwo. Był idealnym kozłem ofiarnym. Tyle że nie miał zamiaru spędzić reszty życia w więzieniu, pokutując za coś, czego nie zrobił.

Ostrożnie wycofał się z łazienki, z powrotem zapiął koszulę, pośpiesznie włożył kurtkę, złapał torbę i, jakby nigdy nic, spokojnym krokiem wyszedł na zewnątrz.

Konstanty Szklarski najpierw doprowadził warsztat do idealnego porządku, a potem pozamykał wszystkie zamki w drzwiach i ruszył do domu. Daleko nie miał. Niegdyś jego ojciec za niewielkie pieniądze nabył na osiedlu domków dwie parcele znajdujące się obok siebie. Na jednej postawił dom, na drugiej zaś, wychodzącej już na inną ulicę, warsztat szewski. Rzemieślnikiem był świetnym, więc szybko zyskał sobie w miasteczku renomę, a ta po jego śmierci przeszła na syna, który od dziecka przyuczał się do zawodu. Obaj w planach mieli rozbudowę warsztatu, ale poza plany nie wyszli. Stary Szklarski zmarł, Konstantego natomiast nieco przerażały wszelkie zmiany. Dlatego sklep obuwniczy, prowadzony niegdyś przez siostrę, która bez żalu porzuciła bezpieczne łono ojczyzny na rzecz obcych krajów, z dużą ulgą przepisał na młodą żonę i skupił się na tym, w czym czuł się mistrzem: na naprawianiu butów.

Idąc ku domowi, Konstanty rzucił okiem na spory plac pomiędzy warsztatem a posesją, którą zamieszkiwał. W tej chwili była to jedynie pusta przestrzeń pokryta śniegiem. Latem porastały ją bujna trawa i rozmaite zielsko, więc też nie stanowiła specjalnie przykrego widoku. Najgorzej było, gdy śniegi topniały, i tuż przed nadejściem zimy. Tabliczka z napisem „Teren prywatny" nikogo nie odstraszała. Mieszkańcy osiedla skracający sobie drogę do centrum miasteczka bez skrupułów pozbywali się tego, co im akurat zawadzało. Przynajmniej dwa razy do roku Konstanty, którego poczucie estetyki zaburzał każdy śmieć, wywoził z tego miejsca kilka worków rozmaitych opakowań i butelek po napojach. Powinien wreszcie jakoś zagospodarować ten teren, ale… No właśnie. Wszelkie decyzje, które należało podjąć, były dla Konstantego udręką. Zawsze bał się, że jeśli wybierze jedną opcję, będzie żałował, że nie pomyślał o innej. Jedynie w kwestii obuwia się nie wahał.

Westchnął ciężko i przyśpieszył, bo był już porządnie głodny, a w domu z pewnością czekała z obiadem jego ukochana małżonka. Jedyna osoba, której udało się zmusić go do podjęcia męskiej decyzji: zmiany stanu cywilnego.

Kiedy starszy aspirant Łukasz Szczęsny wszedł do domu, jego żona i teściowa od razu wiedziały, że coś się wydarzyło. Spojrzały na siebie, poderwały się z kanapy, na której prowadziły jakąś kobiecą dyskusję, i bez słowa pokłusowały do kuchni. Z doświadczenia wiedziały, że pożywienie łagodzi zawodowe rozterki Łukasza.

– Myślisz, że kogoś zabili? – zapytała półgębkiem Malwina, która bardzo szanowała swojego zięcia, choć nigdy by się do tego głośno nie przyznała.

– Nie mam pojęcia – mruknęła Lukrecja, wyciągając talerze. – Może był jakiś wypadek. Jeżdżą teraz jak wariaci. Dużo trzeba, żeby…?

– Prawda. – Oczy Malwiny błysnęły złowrogo. – I jeszcze im ryczy ze środka. Czasami mam ochotę przelecieć się po parkingach i wydłubać im ten sprzęt grający. Albo przynajmniej zepsuć. Samochód jest do jeżdżenia, a nie…

– Mamo – w głosie Luki dźwięczało wyraźne ostrzeżenie – wiesz, że na to są paragrafy.

– Mówię tylko, że mam ochotę. Ty nie?

Córka przezornie nie dała się wciągnąć w przestępcze
dywagacje. Szybciutko nalała do talerza gorącej zupy i zaniosła ją do pokoju. Malwina wzruszyła ramionami i zajęła
się odgrzewaniem drugiego dania. Miała czas. Najpóźniej
do wieczora wydusi z zięcia, co go tak zniechęciło do życia.
Była domową specjalistką od przesłuchań.

Tym razem nie miała szans, by wykorzystać swoje wro-
dzone zdolności, bo już po pierwszym daniu Łukaszowi się
ulało.

– Wiem, że obie jesteście inteligentne – powiedział z powagą, kiedy żona postawiła przed nim kolejny talerz – ale na
wszystkim nie musicie się znać. Dlatego bardzo was proszę,
nie kupujcie badziewia tylko dlatego, że jest tańsze.

– Jakiego badziewia? – zainteresowała się podejrzliwie
Malwina, bo Luka jedynie uniosła brwi w wyrazie zdziwie-
nia. – Tyle tego widuję codziennie… Może byś sprecyzował,
synku?

– Chodzi mi o wszelkie kosmetyczne utensylia – wyjaśnił Szczęsny i westchnął. – Wygląda nieźle, kosztuje grosze
i jest ordynarną podróbą.

– Kosmetyki kupuję w renomowanych sklepach – oznajmiła sucho Malwina. – Akurat na tym znam się lepiej od
ciebie.

– Nie o kosmetykach mówię. Ale te wszystkie suszarki,
lokówki, prostownice, golarki… – Zobaczył minę teściowej
i uciął stanowczo: – Jestem głodny.

Zięć jadł, jakby od tygodnia nic w ustach nie miał, a Malwina usiłowała opanować szalejącą w niej furię. Z zaciśniętymi zębami przetrzymała posiłek, ale – gdy tylko odsunął pusty talerz – wysyczała:

– Czy ja wyglądam jak neandertalczyk, żebym musiała się golić?

– Nie wygląda mama – powiedział szybko Łukasz i rozwinął temat: – Właśnie wróciłem od naszego sąsiada. Tego szewca, co mieszka na naszej ulicy. Po powrocie z pracy znalazł swoją żonę martwą w wannie. Właśnie przez takie badziewie.

Malwina pośpiesznie przeleciała w myślach twarze sąsiadek z osiedla. Stanęła jej przed oczami dorodna blondyna o urodzie Miss Piggy, która zachowywała się, jakby była gwiazdą filmową, i poczuła nikłą satysfakcję. No, proszę. Okazuje się, że dbanie o urodę połączone ze skąpstwem może się źle skończyć. Malwina znała sąsiadkę z widzenia, albowiem Bożenka była stałą klientką jej baru. Zawsze brała jedzenie na wynos i zawsze dopytywała, czy na pewno jest dzisiejsze, co właścicielkę doprowadzało do szału i wymagało dużego samozaparcia, żeby nie dosypać do zakupu jakiegoś specyfiku na rozwolnienie.

– Utopiła się? – zapytała z troską, starannie ukrywając niechęć. – Pewnie wrzuciła do wody te pachnące kulki poślizgowe. Raz się na to nacięłam. Można nieźle pojechać. Zwłaszcza jeśli wanna szeroka.

– Prąd ją poraził – poinformował krótko zięć. – W wannie próbowała depilować nogi. Golarka była podłączona, zrobiło się zwarcie i kobieta nie żyje. W dodatku i mąż o mało nie zszedł, bo znalazł ją po powrocie do domu i próbował ratować. Szkoda mi go. Chłopina jest w kompletnej rozsypce. Przy nas wydoił prawie całą butelkę waleriany.

– Też ma po kim płakać! – prychnęła pogardliwie Malwina. – Nawet obiadu jej się nie chciało ugotować, a nie pracowała przecież i dzieci jej nie płakały. Do mnie codziennie przylatywała po żarcie, bo już cały Kraśnik wie, że u mnie to jak domowe.

– Mamo! – Luka spojrzała na nią z naganą. – Młoda była. Może...

– A ty jesteś stara? – zainteresowała się zgryźliwie Malwina. – I pracujesz, a z kuchni nie uciekasz...

– A dlaczego uważasz, że to ta golarka ją zabiła, Łukasz? – Luka szybko zmieniła temat, bo nie znosiła plotkowania. – Może to gniazdko było felerne?

– Golarka. Nasz technik wszystko obejrzał. To była ordynarna chińska podróbka znanej marki. Na baterię albo na prąd. Denatka podłączyła ją do kontaktu mokrymi rękami i wystarczyło. Gniazdko, owszem, iskrzyło, ale powodem była golarka.

– Idiotka! – nie wytrzymała Malwina.

– No, idiotka – przyznał Łukasz. – Ale nasz technik mówił, że prędzej czy później to badziewie i tak wystrzeliłoby z jakąś niespodzianką... Szkoda jej. Młoda była.

– A może to mąż ją sprzątnął, bo... – zaczęła Malwina, ale od razu zrezygnowała z rzucania podejrzeń. – Nie. Ten Szklarski sporo od niej starszy. I fajtłapa. Prędzej już ona by się go pozbyła.

Nabożeństwo żałobne po Bożenie Szklarskiej odbyło się z wielką pompą w kaplicy obok budowanego kościoła. Konstanty płakał jak bóbr, zadziwiając rodzinę ukochanej żony, której członkowie nie mogli pojąć, jakimi to nieznanymi im cechami dysponowała nieboszczka, że zasłużyła na taką rozpacz. Na wieść o tragicznym zejściu córki matce Bożenki błysnęła wprawdzie myśl, że mogłaby podetknąć świeżo upieczonemu wdowcowi kolejną latorośl, ale ujrzawszy na własne oczy ten ogrom boleści, szybko zrezygnowała. Szczęście w nieszczęściu, że udało jej się wyperswadować zięciowi pomysł, aby pochować ukochaną małżonkę w tych różowościach, które tak uwielbiała. Wstyd byłby na cały Kraśnik, bo mnóstwo ludzi zaglądało przed pogrzebem do przyszpitalnej kaplicy. Nieźle się nagimnastykowała, żeby kupić sukienkę odpowiednią do trumny. Z szafy Bożenki walił po oczach wyłącznie róż.

Nieszczęsny Konstanty nie miał pojęcia, że pomiędzy zgromadzonymi w kaplicy żałobnikami są analityczne damskie umysły, przeprowadzające w tej chwili błyskawiczną kalkulację możliwości zostania kolejną panią Szklarską. Nie wiedział również, że kilku skromnie stojących pod ścianą młodzianów ze szczerym żalem żegna jego żonę, a jeden z nich wbija w jego plecy spojrzenie pełne nienawiści. Ten bowiem, oprócz głębokiego żalu, czuł także wściekłość. Tragiczna śmierć Bożenki odebrała mu nie tylko partnerkę łóżkowych igraszek. Wraz z nią stracił szansę na regularny dopływ wcale niemałej gotówki. Nieboszczka nie skąpiła pieniędzy, by okazać mu swoje zadowolenie, a on skrupulatnie odkładał kasę na swoje największe marzenie: motocykl dobrej klasy, którym mógłby w pojedynkę przemierzać Europę, zarabiając po drodze na życie. Do pełnego szczęścia brakowało mu zaledwie pięciu tysięcy, na które w ciągu najbliższych trzech miesięcy z pewnością by zapracował u swojej różowej bogini. Marzenie właśnie miało zostać pochowane razem z Bożenką, a były amant uznał, że winę za to ponosi jej stetryczały małżonek. Zamierzał mu utrudnić egzystencję.

Roczny prawie pobyt w Kraśniku sprawił, że Lipscy bez problemów wtopili się w społeczność miasteczka. Nikt postronny nie miał pojęcia, co naprawdę wydarzyło się w rodzinie Zawilskich i jaką rolę w ukaraniu mało sympatycznego kuzynka Marylki odegrał kot obronny imieniem Belzebub. Dzięki pomocy notariusza Wilczyńskiego Marylka uzyskała dostęp do konta zgasłego przedwcześnie krewniaka. Część pieniędzy zużyła na pochówek denerwującego nieboszczyka, w gronie znajomych nie bez powodów nazywanego kurhankiem, resztę zaś przekazała domowi pomocy społecznej i odetchnęła z ulgą, bo życzyła sobie jak najszybciej zapomnieć o Robercie Zawilskim.

Apteka, mimo sporej konkurencji, prosperowała i – na razie – nie przynosiła strat. Mieli stałych klientów. Marylka i Sławek uważali, że zawdzięczają to Marcie Artymowiczowej, która polecała ich swoim pacjentom. Współpraca ze starannie dobranym personelem również układała się świetnie, choć w przypadku jednej osoby Marylka na wszelki wypadek od razu przeprowadziła test Joanny. Wpadł jej kiedyś w oko podczas lektury którejś z książek Chmielewskiej i była zdania, że jego wiarygodność jest bezkonkurencyjna.

Marylka nigdy nie wątpiła w wierność swojego małżonka, ale wolała nie kusić licha. Kiedy naocznie stwierdziła, że jedna z kandydatek na pracownicę, która śpiewająco przeszła rozmowę kwalifikacyjną, jest nie tylko inteligentna i kulturalna, lecz także nadmiernie (jak na jej potrzeby) urodziwa, w drodze do domu oznajmiła radośnie:

– Czuję, że będziemy mieli ruch w interesie. Ta Ida jest prześliczna. Jak stanie za ladą, nie opędzimy się od klientów.

– No, owszem. Niczego jej nie brakuje – zgodził się Sławek i westchnął. – Szkoda tylko, że niezamężna. Wołałbym, żeby była rodzinnie ustabilizowana. Bo z lekami nie ma żartów, a jak się trafi jakiś amant... Dziewczyna odpłynie, a o pomyłkę nietrudno, kiedy myśli się o niebieskich migdałach.

– Sławuś – Marylka uspokajająco poklepała go po ramieniu – ona ma chłopaka od pięciu lat. Mówiła mi, że teraz to już pewnie zdecyduje się na ślub. Przedtem nie chciała, bo szukała pracy.

– A, jak tak, to w porządku. Może sobie być prześliczna.

Sławek test zdał, prześliczna Ida zasiliła personel apteki, a Marylka uznała, że może spać spokojnie.

Marta Artymowicz, dobry duch Lipskich, pomogła im też skutecznie pozbyć się nachalnej klientki, powołującej się na serdeczną przyjaźń z byłą właścicielką, Teresą Zawilską. Bo niedługo po otwarciu pojawiła się w aptece chuda jak szczapa niewiasta z wielkim nosem, który sprawiał wrażenie, jakby nieustannie węszył, i małymi oczkami świdrującymi jak dwa lasery. Jej długa szyja obróciła się niczym peryskop, dokładnie lustrując półki z lekami, kącik dla dzieci, urządzony przez Marylkę, stolik z butelką niegazowanej wody i jednorazowym kubkiem oraz aparatem do mierzenia ciśnienia. Wreszcie jej spojrzenie spoczęło na stojącym za ladą Sławku, który poczuł się jak preparat pod mikroskopem.

– To pan jest tym dziedzicem po Tereni? – W nieprzyjemnie brzmiącym głosie słyszalne było wyraźne powątpiewanie. – No, łatwo panu tu nie będzie, ale przyjaźniłyśmy się, to mogę pomóc. Majewska jestem. – Wyprostowała z godnością tyczkowatą sylwetkę. – Mnie tu wszyscy znają. Jak wam zrobię reklamę, nie opędzicie się od klientów, ale… Gdzie cukierki? – Spojrzała na Lipskiego groźnie. – Te na kaszel i głogowe na serce? Tu! – Wskazała stolik. – Tu powinny leżeć! A te to na co? Bo jakieś malutkie…

– Z witaminami, dla dzieci – wykrztusił zaskoczony Sławek.

– A… No, ostatecznie… – Majewska zgarnęła sporą garść z kolorowej miseczki i wsypała do przepastnej torebki. – Na kaszel i głogowe! – powtórzyła z naciskiem. – Zawsze u Tereni brałam!

Ogłupiały Sławek potulnie kiwnął głową, a niewiasta błyskawicznie znalazła się przy drzwiach i otwierając je, oznajmiła gromko:

– Ja tu jeszcze przyjdę! Rabat miałam u Tereni na wszystko!

Po powrocie do domu oboje z Marylką zastanawiali się, jak wybrnąć z kłopotliwej sytuacji, by nie urazić potencjalnej klientki.

– Baba mi wyglądała na pazerną – powiedział zmartwiony Sławek. – Te cukierki ziołowe nie są jakoś specjalnie drogie, ale jak ona zacznie składać wizyty raz w tygodniu, to pójdziemy w koszty...

– Nie prowadzimy instytucji charytatywnej, tylko aptekę! – warknęła Marylka. – Dlaczego mnie nie zawołałeś? To chyba jakaś oszustka. Jakim cudem mogła mieć rabat na wszystko u ciotki? To niemożliwe. Jest zakaz dawania upustów, a ciotka była praworządna tak, że już bardziej się nie da. Nie postąpiłaby wbrew prawu.

– Ale my tu dopiero zaczynamy, kochana. – Sławek w desperacji poczochrał obfitą czuprynę. – Przedstawiła się wyraźnie. Może to jakaś ważna baba jest?

– I co? – Błękitne oczy Marylki błysnęły wojowniczo. – Haracz jej mam płacić? Cukierkami ziołowymi? A jak jej przyjdzie do łba, że potrzebuje antybiotyku, też mam jej za darmo dać? Przecież z torbami pójdziemy! Belzebub! – Obejrzała się na kocura, który leżał na dywanie, pracowicie i z wyraźnym zaangażowaniem obgryzając jakiś przedmiot. – Jak uważasz? Powinniśmy babę dopieścić czy pogonić raz, a dobrze?

Kot zrobił zeza, łypiąc na nią znad trzymanego w paszczy przedmiotu, i mocniej zacisnął szczęki. Chrupnęło głośno.

– Tak myślałam – stwierdziła Marylka z satysfakcją. – Widzisz, Sławuś? Belzebub też uważa, że trzeba ją spuścić na drzewo.

– Ale ja bym chciał wiedzieć… Tak na wszelki wypadek… – zaczął Lipski i urwał, bo rozległ się dzwonek do drzwi.

Marylka natychmiast pokłusowała do hallu i po chwili wprowadziła do pokoju objuczoną Martę, która z ulgą postawiła na podłodze wypchane siatki i opadła na kanapę. Belzebub porzucił swoje zajęcie, ulokował się na jej kolanach i podstawił do głaskania czarną łepetynę.

– Jak wam się układa w pracy? – Marta położyła dłoń na kocim łebku i od razu rozległo się głośne mruczenie. – Przyniosłam wam wałówkę, bo pewnie nie mieliście głowy do gotowania… Klienci dopisują? Już rozpuściłam wici wśród swoich pacjentów… Marylka, rozpakuj te siatki, bo to moje dyżurne i jestem do nich przywiązana.

Marylka posłusznie potruchtała ze zdobyczą do kuchni i po chwili zaczęły stamtąd dobiegać pełne zachwytu pojękiwania. Pani magister uwielbiała dobre jedzenie, a już zdążyła się przekonać, że ich ulubiona sąsiadka świetnie gotuje.

– Maminka, ty jesteś tutejsza… – zaczął ostrożnie Sławek, który w przeciwieństwie do żywiołowej małżonki wolał minimalizować wszelkie ryzyko. – Wiesz, dzisiaj miałem… Przyszła baba, powiedziała, że nazywa się Majewska, i zaczęła…

– O kurczę! – Marta prawie podskoczyła i Belzebub miauknięciem przywołał ją do porządku. – Przepraszam, diabełku… Zapomniałam was uprzedzić.

– Kto to jest? – Lipski spojrzał na nią z napięciem. – Jakaś lokalna szycha?

– Jednoosobowa kraśnicka stacja nadawczo-odbiorcza – westchnęła Marta. – I najbardziej skąpa baba, jaką znam. Nie ominie żadnej promocji w supermarkecie. Jeśli czymś częstują w ramach degustacji, pojawia się jak tornado, wysa, co się da, i znika. Mistrzyni plotki: tu usłyszy, tam dołoży i przekręci, po czym puszcza w obieg. Podejrzewam, że każdy mieszkaniec Kraśnika ma w jej głowie własną teczkę, a w niej zapisane każde potknięcie – od pieluch do śmierci. Wam pewnie też już dorobiła swoją wersję przejęcia apteki. W sumie nie ma się czym przejmować. Wymysły Majewskiej z nieustającym zachwytem i bezkrytycznie przyjmują jedynie kwoki i poduszkowce, co zwykle skutkuje tym, że chcą osobiście zweryfikować zasłyszane u źródła rewelacje. A to dla was dobrze, bo jak przyjdą na przeszpiegi, to przy okazji coś kupią.

– Maminka, co to są poduszkowce? – zainteresowała się stojąca w drzwiach Marylka. Mówiła trochę niewyraźnie, bo przeżuwała cudownie rozpływającego się w ustach małego ruskiego pierożka.

Marta spojrzała na Sławka, łakomie wpatrzonego w żonę, i uśmiechnęła się z rozbawieniem.

– Nakarm go, zanim zje ciebie – rozkazała. – Najlepiej przynieś te pierogi i postaw na stole. Naczynia możecie oddać przy okazji, nie śpieszy mi się.

– Ale powiesz…? – Marylka zawahała się w progu.

– Wytłumaczę ci, jak wrócisz – obiecała Marta.

Kiedy na stole pojawił się sporych rozmiarów półmisek wypełniony pierogami, Sławek, całkowicie uspokojony w kwestii Majewskiej, natychmiast zajął się konsumpcją, a Marylka, pogryzając kolejnego pierożka, wpatrywała się wyczekująco w sąsiadkę.

– Nie wiem, jak jest w Lublinie – zaczęła Marta – ale w Kraśniku egzystują w symbiozie dwa gatunki wszystkowiedzących. Te, które rezydują na osiedlowych ławkach, nazywam kwokami, bo siedzą jak kury na grzędach. Natomiast poduszkowce obserwują życie miasteczka z wysokości swoich pięter i w luksusach, ponieważ zwykle opierają się na położonej na parapecie poduszce. Ot i cała tajemnica. Majewska nie mieści się w tej klasyfikacji, bo siedzenie w jednym miejscu przekracza jej możliwości. Ona ciągle musi się przemieszczać. Kwoki i poduszkowce używają przede wszystkim oczu, a Majewska – głównie uszu. Jest jak stary, doświadczony nietoperz – wyłapie każdy szmerek. Jeśli znowu się u was pokaże, musicie dać jej stanowczy odpór. Obrazi się i więcej nie przyjdzie.

– Szmerki mam w nosie – oświadczyła Marylka, wzruszając ramionami, i nagle dotarło do niej, że ukochany pupil zupełnie nie zwraca na nią uwagi, przylepiony do kolan Marty i mruczący jak czarny traktorek. – Maminka, co ty robisz, że Belzebub pcha się do ciebie, kiedy tylko przychodzisz? On raczej nie przepada za obcymi.

Marta wychwyciła w jej głosie nutkę zazdrości i powstrzymała uśmiech. Doskonale wiedziała, że magister Lipska kocha pupila miłością zachłanną i nie znosi konkurencji. Ponieważ nie miała ochoty wdawać się w dywagacje na temat swoich umiejętności w dziedzinie bioenergoterapii, sprytnie zmieniła temat.

– O, widzę, że wasz piekielny domownik znalazł sobie nową rozrywkę. – Wskazała porzucony przez kocura przedmiot. – Zdolny chłopak. Czy on przypadkiem w poprzednim życiu nie był termitem? Albo bobrem?

Marylka natychmiast zapomniała o zazdrości i niespokojnie obejrzała się za siebie. Na dywanie leżał sporych rozmiarów młotek, którego gruby trzonek wyglądał, jakby rzeczywiście napoczęło go stadko wygłodniałych termitów. Wystawały z niego drzazgi i sprawiał wrażenie, że wystarczy go lekko nacisnąć, by całkowicie odmówił współpracy.

Sławek spojrzał również i niewiele brakowało, by konsumowany ze smakiem pierożek stanął mu w gardle.

– Mój ulubiony! Najlepszy młotek, jaki miałem! Pasował mi do ręki jak żaden inny! – jęknął, kiedy udało mu się przełknąć. – Czy ten kot jest normalny? Jeden pokój na górze zamieniliśmy w koci raj: drapaki, zabawki, tunele… Dlaczego dewastuje moje narzędzia?! Gdzie ja teraz taki młotek dostanę?! To chińskie g… – ze względu na Martę ugryzł się w język – …coś do niczego się nie nadaje!

– Sławuś, nie przesadzaj – mruknęła Marylka z naganą. – Nie wierzę, że w Kraśniku nie sprzedają młotków. Kupisz sobie drugi. Ale te narzędzia to ty jakoś chowaj. Belzebub mógł się pokaleczyć drzazgami. Zobacz, jakie one duże…

A to był dopiero początek, o czym oboje rychło mieli się przekonać.

Belzebub czuł się najbardziej porzuconym kotem na świecie. Lipscy większość dnia spędzali w aptece, ponieważ chcieli się zintegrować z personelem, a przy okazji pokazać klientom, że u nich będą obsługiwani na najwyższym poziomie. Kiedy wieczorem wracali do domu, robili burzę mózgów, zastanawiając się, w jaki sposób zapewnić sobie stałą klientelę. Konkurencja była duża – w małym miasteczku najwięcej było chyba właśnie aptek.

Marylka, owszem, dbała o pupila: podtykała mu ulubione kąski, przytulała i głaskała, kiedy była w domu, ale Belzebub uważał, że to o wiele za mało. Do tej pory był dla niej najważniejszy, teraz spadł na drugie miejsce, a tego nie zniósłby żaden kot.

Skutek był taki, że urażony do żywego kocur postanowił sam zapewnić sobie rozrywkę, ponieważ wielopoziomowe drapaki oraz hurtowe ilości rozmaitych myszy i piłeczek bez ludzkiej obsługi do niczego się nie nadawały. Nie było nikogo, kto zachwycałby się jego zwinnością, docenił refleks, podziwiał grację jego ruchów. Rozgoryczony Belzebub postanowił zatem, że dobitnie przypomni Lipskim o swojej obecności w tym domu, i od razu zabrał się do roboty. Zaczął od zajęcia, które już miał opanowane, czyli od demontażu drzwiczek w kuchennych szafkach. Zajęcie było męczące, ale determinacja kocura sprawiła, że udało mu się wykonać plan w ciągu jednego dnia. Tak się zaangażował, że z rozpędu powyjmował jeszcze wszystkie gałki z szuflad. Rzetelnie umordowany powędrował do pokoju nazwanego przez

Sławka kocim rajem i tam zaległ na ulubionym drapaku. Nie widział zatem osłupiałych min Lipskich, kiedy wrócili do domu. A pewnie sprawiłyby mu satysfakcję.

Do kuchni pierwsza weszła Marylka i najpierw zamarła w progu, nie mogąc uwierzyć w to, co widzi. Wszystkie szafki bezpruderyjnie demonstrowały swoją – dość nieuporządkowaną – zawartość, drzwiczki poniewierały się na podłodze, tworząc jakąś tajemniczą kompozycję przestrzenną, szuflady zaś szczerzyły się śrubami po gałkach, które w idealnym rzędzie spoczywały na brzegu kuchennego blatu.

Kiedy Marylkę odblokowało, wrzasnęła przeraźliwie i do kuchni dziarskim truchtem wbiegł zaalarmowany Sławek.

– Co się…? – Urwał i raptownie, z niedowierzaniem rozejrzał się po mocno zdezelowanym kuchennym wnętrzu. – Co to…? Karrrtofelki niekopane, znowu jakiś poszukiwacz skarbów?!

– Sławciu, a jeśli to… Robert nas straszy? – Marylka zadygotała. – Wredny był za życia, może…

– Daj spokój! – uciął Sławek stanowczo. – On tam pewnie w największym kotle siedzi jako matkobójca. Nie wierzę, że przepustkę dostał, żeby się rozerwać… Zginęło coś? Patrzyłaś?

Marylka wzruszyła ramionami, nieco uspokojona, i uważniej przyjrzała się pobojowisku.

– A co tu mogło zginąć? Najwyżej trochę żarcia… Ale – dodała po namyśle – bardzo głodny chyba nie był, skoro go sparło na roboty rozbiórkowe… Myślisz, że ktoś jeszcze wierzy w te narkotykowe miliony?

– A czort wie. – Sławek w zadumie poczochrał się po włosach. – Z tego Belzebubowego niedobitka inteligencja nie tryskała. Może komuś sprzedał swoje przypuszczenia? Jakiś alarm by...

– Jezu, Belzebub! – przejęła się Marylka. – Muszę go poszukać! Może mu krzywdę zrobił! Albo przestraszył i teraz biedak boi się wyjść? Kiciu! Gdzie jesteś? – Ruszyła do pokoju. – Belzebub! Chodź do mamusi!

Lipski pomyślał, że Belzebub jest jedynym stworzeniem na ziemi, któremu uczucie strachu jest zupełnie obce, i to raczej on byłby zagrożeniem dla każdego, ale wolał zachować tę myśl dla siebie. Westchnął i zabrał się do porządkowania kuchni, obiecując sobie, że jutro poszuka w sklepie budowlanym najpotężniejszych zawiasów, jakimi dysponują. A przede wszystkim kupi i zamontuje alarm, który zniechęci nawet najbardziej upartego złodziejaszka.

Następnego dnia Marylka poszła do pracy na ranną zmianę, a Sławek obiecał, że postara się jak najszybciej uporać z doprowadzeniem kuchni do stanu używalności, zastrzegając, że może się nieco spóźnić, bo nie ma pojęcia, ile czasu mu to zajmie. Zajęło mniej, niż myślał. Okazało się, że miasteczko dysponuje świetnie zaopatrzonym marketem budowlanym, w którym Lipski nabył potrzebne mu zawiasy. Przy okazji dowiedział się, że zakładanie alarmu, kiedy w domu ma się czworonożnego lokatora, jest bez sensu. Młody, bystry pracownik wyjaśnił mu to na przykładzie straszliwych przeżyć swojego znajomego, którego kot z uporem maniaka skakał na klamkę przy drzwiach wejściowych, uruchamiając alarm i serwując sąsiadom przeraźliwe wycie po kilka razy dziennie. Sławek, dobrze znający możliwości Belzebuba, natychmiast zrezygnował z pomysłu. Doszedł do wniosku, że będzie musiał wykombinować coś innego.

Wrócił do domu, obrzucił nieprzyjaznym spojrzeniem opartą o ścianę kuchni stertę drzwiczek, wyjął torbę z pokaźną liczbą zawiasów i zastygł w bezruchu, bo dotarło do niego, że czeka go pracochłonna robótka – będzie musiał wymontować stare zawiasy, założyć nowe i wstawić drzwiczki do szafek. Zjeżył mu się na głowie bujny włos, kiedy uświadomił sobie, że najprawdopodobniej w ogóle nie dotrze dziś do apteki i Marylka będzie musiała przepracować dwie zmiany. Nie mógł tego zrobić ukochanej żonie. Usiadł na kuchennej podłodze, wbił wzrok w czeluść szafki, którą miał przed oczami, i przełączył umysł na tryb intensywnego myślenia.

Obok niego godnie zasiadł Belzebub, choć Sławek nawet go nie zauważył, skupiony na problemie. Kocur przez chwilę tkwił nieruchomo jak czarna statuetka, ale kamienne milczenie zadumanego gospodarza rychło go zirytowało. Co to ma być? Od lat uczył swoich dwunożnych, że kiedy na horyzoncie pojawia się kot – czyli on – mają demonstrować zadowolenie, jeśli nie zachwyt, że zdecydował się na ich towarzystwo. A ten tu sprawia wrażenie, jakby nagle oślepł. Ciekawe, czy ze słuchem też mu się pogorszyło…

Belzebub wsunął łapę w leżącą na kuchennej podłodze foliową torbę i wydobył z niej duży, masywny zawias. Lipski nawet nie drgnął. Kocur wziął zatem zawias w paszczę, bez wysiłku wskoczył na blat i z jego wysokości upuścił zdobycz wprost pod skrzyżowane nogi siedzącego na podłodze gospodarza. Brzęknęło.

MAŁGORZATA J. KURSA

– Co ty...? – odezwał się wyrwany z fachowych rozmyślań Sławek i nagle doznał olśnienia. – Po cholerę ja to kupowałem? Śmierć mnie zastanie przy tej robocie... Masz rację, Belzebub. Won z tym szajsem. Zastosujemy sposób teścia. Czekaj, jak to było... – Poderwał się do pionu i zaczął grzebać w stercie drzwiczek. – Aha. Trzeba zamienić prawe na lewe i odwrócić górne zawiasy – mamrotał do siebie. – Roboty mniej, a byle patałach nie załapie, jak to potem zdjąć. Nie wierzę, że odwiedza nas fachowiec od mebli... Siedź tu, kochany, i nie plącz mi się pod nogami, dobra? Muszę się sprężyć, bo tam Marylka czeka na wsparcie...

Sprężył się, rzeczywiście, i – bardzo z siebie dumny – po trzech godzinach katorżniczej pracy pojechał do apteki.

Belzebub został sam i uznał, że po raz kolejny go zlekceważono. Omiótł pogardliwym spojrzeniem miskę pełną kociego jedzenia, uznał, że na stole nie ma niczego, co nadawałoby się do konsumpcji, i przypomniał sobie, że najlepsze kąski Marylka wyjmuje ze stojącej w rogu dużej, białej skrzyni. Przyjrzał jej się z uwagą i stwierdził, że składa się z dwóch odrębnych części, a każda z nich ma pionowe, umieszczone na samym brzegu uchwyty. Uznał, że łatwiej będzie dostać się do dolnej komory, zeskoczył zatem z blatu, przymierzył się bokiem, złapał w zęby uchwyt i pociągnął z całej siły. Dolny sezam stanął otworem, ale – zamiast upojnej woni ludzkich smakołyków – buchnął z niego ziąb, który Belzebubowi nie przypadł do gustu. Kot był stworzeniem zdecydowanie ciepłolubnym. Zdegustowany pchnął drzwiczki twardą, sporych gabarytów łepetyną. Zamknęły się bez problemu.

Drugi uchwyt znajdował się na wysokości kuchennego blatu. Kocur wskoczył na taboret, z niego bez wysiłku dostał się na blat, chwycił zębami metalową rączkę i pociągnął ku sobie, ale pożądanego efektu nie osiągnął. Zirytowany majtnął ogonem i przemieścił się na podłogę, nie spuszczając wzroku z przeszkody odgradzającej go od smakołyków. Postanowił wykorzystać sposób, który sprawdzał się przy penetracji domowych pomieszczeń. Odbił się zatem od podłogi i mocno pacnął uchwyt przednimi łapami, a potem opadł na dół. Też nie zadziałało. Rozzłoszczony podskoczył i uwiesił się na rączce, ale metal był śliski. Przez chwilę jego tylne łapy dyndały bezradnie, przednie nie znalazły podparcia i Belzebub ponownie wylądował na podłodze.

Teraz już naprawdę był zły. Jego ogon, wskaźnik kociego nastroju, walił o posadzkę. Nagle kot się poderwał, położył uszy i bokiem, w lansadach podsunął się ku nieszczęsnej lodówce, jakby chciał ją zaatakować. Kiedy stwierdził, że biały potwór nie zdradza objawów przerażenia, usiadł i wbił spojrzenie złocistych oczu w denerwujący uchwyt. Po namyśle wskoczył na blat, ponownie złapał w paszczę metalową rączkę i pociągnął, tym razem nie ku sobie, lecz do przodu. Drzwiczki zrobiły mu przyjemność i otworzyły się, ciągnąc Belzebuba za sobą. Jego łapy oderwały się od blatu i kot zawisnął z zębami zaciśniętymi na uchwycie, bezradnie przebierając w powietrzu wszystkimi czterema kończynami. Nie miał wyjścia – puścił uchwyt i jak worek pacnął na podłogę. Natychmiast łypnął ku lodówce, powęszył, a kiedy do jego nozdrzy dotarła rozkoszna woń wędliny, którą Marylka wyłożyła na mały półmisek i ulokowała na półce, bez namysłu wskoczył do środka i zaczął się pożywiać. Udało mu się unicestwić przynajmniej jedną trzecią zawartości naczynia, nim uznał, że wystarczy. Wycofał się ostrożnie, spuścił na podłogę, po czym usiadł i zaczął się metodycznie myć. Teraz, po stosownym posiłku, mógł pójść na górę i słodko zasnąć.

Już miał wyjść z kuchni, by zrealizować ten plan, gdy przypomniała mu się długa i jękliwa przemowa Marylki, kiedy stłukł dzbanek, bo usiłował sprawdzić, co zawiera. Lubił być chwalony i podziwiany, za to pojękiwań i żalów nie znosił. Na wszelki wypadek postanowił usunąć ślady swojej działalności. Z tym nie było kłopotu – po prostu podskoczył i mocno popchnął drzwiczki, a te z trzaskiem się zamknęły.

Tego wieczora Marylka nieco się zdziwiła, odkrywszy w lodówce ubytki w zaprowiantowaniu, ale szybko doszła do wniosku, że najprawdopodobniej ukochany małżonek zgłodniał podczas prac porządkowych. Uznała to za normalne zjawisko przyrodnicze i nie drążyła tematu.

W ciągu następnego miesiąca oboje Lipscy zaczęli jednakowoż powoli dochodzić do wniosku, że w domu zorganizowały sobie poligon doświadczalny siły nieczyste.

Zaczęło się niewinnie.

– Marylka, gdzie przełożyłaś łyżeczki? – Sławek właśnie zaparzył kawę, posłodził i rozglądał się w poszukiwaniu odpowiedniego sztućca, by ją pomieszać. Szuflada była pusta, a łyżeczka z cukiernicy nie wydawała mu się właściwa, bo żona dostawała szału, kiedy odkrywała na niej reszki zbrylonego cukru.

– Nigdzie. – Marylka wzruszyła ramionami. – Nie narzekały, że im w szufladzie niewygodnie, więc nie widziałam powodu, żeby je przekładać.

– To chyba same gdzieś wyemigrowały, bo żadnej tu nie widzę – oznajmił Lipski, dokładnie sprawdzając wszystkie przegródki. – No nic. Potem poszukam, bo nie mamy czasu. Jeszcze trzeba zrobić porządne zakupy… Co by tu… A, widelcem zamieszam…

Gospodarze nie mieli pojęcia, że efekt znikających łyżeczek wywołała dokładność magistra Lipskiego. Tak porządnie przykręcił gałki, że Belzebub nie zdołał sobie z nimi poradzić i dlatego zajął się zawartością szuflad. Łyżeczki zajmowały pierwszą przegródkę, zatem kocur zaczął od nich. Bardzo się przy tym namęczył, bo postanowił je ukryć w swojej ulubionej szafce na górze (Lipscy zamierzali ją wyrzucić, ale zwierzak szybko im uświadomił, że to jego osobista własność, więc tylko przenieśli ją do kociego pokoju). Miał nadzieję, że uda mu się przenieść do kryjówki wszystkie sztućce za jednym zamachem, ale się przeliczył. Kiedy brał w zęby kilka łyżeczek, po drodze zawsze któraś wypadała mu z pyszczka, więc zmuszony był nosić po jednej. Gdy wepchnął do szafki ostatnią, stwierdził, że na dziś znudziło mu się to zajęcie, i postanowił odpocząć. Nie śpieszyło mu się. Dysponował doprawdy nieograniczoną ilością czasu.

W ciągu kilku następnych dni w ten sam sposób dematerializacji uległy łyżki, widelce i noże. Oboje Lipscy niemal na czworakach przetrząsnęli całą kuchnię, ale po sztućcach nie było śladu ni popiołu. Kupili w supermarkecie pierwszy komplet, jaki wpadł im w ręce, snując przy tym rozmaite teorie. Sławek nie mógł pozbyć się podejrzenia, że jakieś podejrzane indywiduum składa w domu wizyty podczas ich nieobecności, i zastanawiał się nad zamontowaniem w kuchni kamery. Marylka była zdania, że to niemożliwe, ponieważ ich osobisty kot obronny każdego intruza od razu by unieszkodliwił. Próbowała przekonać małżonka, że przywiązana do swojej własności ciotka Teresa zapragnęła jakichś pamiątek z rodzinnego domu i zdecydowała się teleportować w zaświaty właśnie sztućce.

Żadnemu z nich nie zaświtała w głowie myśl, że winowajcą może być Belzebub. Może to i dobrze, bo gdyby Marylka zobaczyła swojego czarnego pieszczocha przemykającego po schodach z nożem w zębach i miną płatnego zabójcy, z pewnością przeżyłaby szok.

Kiedy okazało się, że w kuchni pozostało już tylko oprzyrządowanie o większych gabarytach, które nie mieściło się w kociej kryjówce, Belzebub się zniechęcił i zaczął poszukiwać innego źródła rozrywki.

Pozostawione w łazience skarpetki Sławka (właściwie już dawno powinny były przejść na zasłużoną emeryturę, ale wkładał je do porządkowania garażu) nie starczyły na długo. Ich woń co prawda sama prowokowała, by uznać je za śmiertelnego wroga, ale nie trzeba było wiele, żeby zostały z nich strzępy. Belzebub nie zamierzał profanować osobistego skarbca tym wątpliwym aromatem. Z łupem w zębach i z nosem zmarszczonym z obrzydzenia obiegł cały dom, a ostatecznie zdecydował się ukryć szczątki pod lodówką w kuchni. Niełatwo było je tam wepchnąć, ale w końcu sobie poradził.

Po czym w sypialni Lipskich natrafił na porzuconą w pośpiechu przez Marylkę ukochaną spódnicę. Ten łup go zachwycił. Spódnica była szeroka, można było w niej nurkować, wyskakiwać z niej znienacka i szarpać ją do woli. Zawlókł zdobycz do kociego pokoju i w ciągu jednego popołudnia sprawił, że z eleganckiego ciucha zamieniła się w farfoclowatą szmatę. Nie przeszkadzało mu to. Nawet jako szmata pachniała Marylką i Belzebub zdecydował, że zarekwiruje ją na stałe jako ekwiwalent za ciągłą nieobecność właścicielki. Na wszelki wypadek postanowił schować ją w szafce i tu spotkało go rozczarowanie. Kryjówka bardzo pojemna nie była, a już spoczywały w niej wyniesione z kuchni sztućce, duża plastikowa miska, którą niepostrzeżenie ukradł Marylce prawie spod ręki (uwielbiał w niej przysypiać), płaska poduszka z gąbki zabrana z fotela w salonie (Sławek próbował w ten sposób dbać o swój kręgosłup), dwie malutkie puszki anchois, które pewnego dnia zdążył wydłubać z torby, nim Lipscy wypakowali zakupy, oraz stara, należąca jeszcze do Teresy Zawilskiej składana parasolka (świetna do gryzienia, bo wystawały z niej druty).

Spódnica mocno zmniejszyła swoje gabaryty po kociej zabawie, ale była śliska i uparcie wypadała z szafki. Po kilkunastu minutach upychania jej pomiędzy pozostałymi klamotami kocur odpuścił. Chwycił w zęby podziurawiony strzęp materiału i wypadł z pokoju. Kiedy zbiegał po schodach, kolorowa tkanina powiewała za nim jak zdobyty na wrogach sztandar.

W progu kuchni wyhamował, dostojnym krokiem podszedł do lodówki i przypomniał sobie, że w tym miejscu ulokował już Sławkowe skarpetki. Złożył swój łup na podłodze, wcisnął łapę pod lodówkę, wspomógł wysiłek pazurami i udało mu się nawet dość szybko wyciągnąć śmierdzące dowody poprzedniego przestępstwa. Na ich miejsce wepchnął pozostałości wytwornego stroju magister Lipskiej, wcisnął z powrotem resztki skarpetek i, bardzo z siebie zadowolony, wrócił na górę, by zregenerować siły po pracowitym dniu.

Marylka, która tego dnia miała poranną zmianę i wróciła wcześniej, najpierw się wykąpała, a potem poszła do kuchni, by zrobić kolację, nim do domu dotrze Sławek. Już w progu poczuła mało przyjemny zapaszek, którego nie potrafiła zidentyfikować. Odruchowo rzuciła okiem na stół i blat, by sprawdzić, czy nie poniewierają się na nich jakieś niedojedzone resztki po śniadaniu. Nic takiego nie znalazła. Sławek, który wychodził później, zdążył nawet wszystko po sobie pozmywać.

Marylka pociągnęła nosem jak rasowy ogar, ale woń z niczym konkretnym jej się nie kojarzyła. Zajrzała zatem ostrożnie do lodówki. Na półmisku leżała pokrojona wędlina, w pojemnikach na warzywa tkwiły świeże ogórki i pomidory absolutnie niesprawiające wrażenia, że właśnie mają zamiar się psuć. Na wszelki wypadek obwąchała dokładnie jajka, ale i one nie śmierdziały.

Była głodna i doskonale wiedziała, że małżonek po powrocie również będzie domagał się pożywienia. Westchnęła, uchyliła okno, bo zapaszek zniechęcał ją do podjęcia czynności gastronomicznych, i zabrała się do roboty.

Mieli dziś w pracy ciężki dzień, postanowiła więc zrobić mężowi przyjemność i na kolację podać kanapki z pastą rybną, którą Sławek uwielbiał. Wprawdzie nie mogła nigdzie zlokalizować anchois, a dobrze pamiętała, że niedawno kupili je w supermarkecie, ale dwie konserwy z makrelą w oleju leżały w szafce, tam, gdzie je położyła. Zanim ugotowały się jajka, Marylka zdążyła otworzyć puszki, przełożyć ich zawartość do miski (swojej ulubionej też nie mogła znaleźć), dodać pokrojoną drobno cebulkę i doprawić. Kiedy jajka się studziły, skroiła pół bochenka chleba i nagle do niej dotarło, że nigdzie nie widzi Belzebuba. Nóż wyleciał jej z ręki, wypadła z kuchni i pognała na górę.

Kocur spał zwinięty w kłębek na swoim ulubionym legowisku. Na widok zasapanej Marylki, która wpadła do pokoju, jakby gnała do pożaru, otworzył oczy, powstrzymał ziewnięcie, zrobił minę porzuconej przez wszystkich sieroty i miauknął tak żałośnie, że magister Lipska poczuła się natychmiast jak wyjątkowo podły potwór.

– Bardzo się nudziłeś beze mnie? Moje słoneczko kochane – zagruchała, opadając na kolana przy legowisku i z uczuciem gładząc ulubieńca. – No, ja wiem, kochany, że nie lubisz być sam, ale wytrzymaj jeszcze troszkę. Jak już porządnie rozkręcimy interes, zwolnimy obroty i będę miała więcej czasu dla ciebie. Tatuś założy siatkę na balkonie i będziesz mógł zażywać świeżego powietrza… Głodny jesteś? – Obejrzała się na pełną miskę. – Nie smakuje ci to? A co powiesz na ciasteczka? Chodź na dół, skarbie. Mama nakarmi pychotkami i dokończy tę pastę, bo jeszcze jajka muszę obrać i zetrzeć na tarce. No, chodź, malutki…

„Malutki" wstał, przeciągnął się porządnie, otarł o kolana Marylki i bez pośpiechu ruszył ku drzwiom. Na dole łaskawie pozwolił się napaść ulubionymi pasztecikami, po czym przeniósł się na fotel w pokoju, ponieważ Marylka – ze względu na kota – szybko zamknęła okno, a zapach w kuchni mu nie odpowiadał. Jak się okazało po kilku godzinach, nie odpowiadał również Sławkowi i w efekcie oboje Lipscy spędzili większą część wieczora, węsząc jak psy gończe i usiłując zlokalizować źródło nieprzyjemnej woni. Nic z tego nie wyszło, więc Sławek w końcu otworzył szeroko okno i zabezpieczył je resztką siatki z nadzieją, że przez noc podejrzany smrodek się ulotni. Kiedy zmęczony nadprogramową robotą dotarł wreszcie do sypialni, Marylka już spała jak kamień. Obok niej, na swoim posłaniu, chrapał w najlepsze Belzebub.

Belzebub w zasadzie bardzo rzadko oglądał telewizję. Lipscy zażywali tej rozrywki głównie w weekendy, bo w soboty wcześniej zamykali aptekę. Czasami Marylka, która była zdania, że pupilowi też od czasu do czasu należy się odrobina przyjemności i kontakt ze światem zewnętrznym, sadzała kocura na fotelu i przełączała odbiornik na jakiś kanał przyrodniczy. Belzebuba jednak pływające po ekranie kolorowe rybki kompletnie nie interesowały. Świergocące ptaki również nie zrobiły na nim wrażenia, po uważniejszej obserwacji zorientował się bowiem, że siedzą gdzieś w środku płaskiego prostokąta i w żaden sposób nie da się na nie zapolować.

Od czasu do czasu z telewizora dobiegało jakieś ludzkie pojękiwanie lub agresywny wrzask (ponoć dwunożni uważali to za śpiew), który drażnił czułe uszy kocura, więc starał się raczej nie bywać w pokoju, gdy odbiornik był włączony.

Teraz w domu było pusto – Lipscy przebywali w swojej ukochanej aptece, a Belzebub łaził z kąta w kąt i szukał zajęcia, które wypełniłoby mu czas do ich powrotu. Demontowanie kuchennych mebli było bardzo ekscytujące, ale po wprowadzeniu Sławkowych ulepszeń wymagało dużego wysiłku. Zniechęciło go to. Otwieranie lodówki już opanował i bez problemu dostawał się do ulubionych smakołyków. Kryjówka w szafce była zapchana do wypęku, a nowej jeszcze nie znalazł.

Belzebub wskoczył na ławę i jego przednie łapy wylądowały na pilocie od telewizora. Kocur drgnął, kiedy usłyszał niespodziewane pufnięcie. Telewizor się włączył i ekran ożył.

Marylka i Sławek prasówkę robili sobie jedynie w weekendy, bo wtedy mogli dowolnie dysponować czasem, a lubili być doinformowani. Zwykle oglądali najpierw programy informacyjne, a dopiero potem przestawiali się na rozrywkę. Belzebub trafił na kanał, który na okrągło przez dwadzieścia cztery godziny serwował wiadomości. Na ekranie właśnie wymachiwał rękami jakiś dwunożny rodzaju męskiego. Wyglądał jak naburmuszony kupidynek, a z jego ust wylewał się słowotok. Osobnik nie przypadł kotu do gustu. Belzebub wygiął się w łuk i wydał z siebie ostrzegawcze prychnięcie. Przy okazji udało mu się wcisnąć w pilocie kanał,

MAŁGORZATA J. KURSA

który Lipscy starannie omijali. Oznaczyli go cyfrą zero i zapomnieli o jego istnieniu.

Tym razem na ekranie pojawił się czarno odziany dwunożny o czerstwym, błyszczącym obliczu. Dodatkowego blasku dodawały mu połyskujące w studyjnych światłach okulary i dorodna łysina okolona wianuszkiem nieco rozwichrzonych włosów. Kiedy zaczął mówić, Belzebub nastawił uszy w kierunku telewizora, wbił w ekran złociste oczy i znieruchomiał jak zahipnotyzowany. Ten głos zafascynował go tak bardzo, że zupełnie zapomniał, iż lada moment gospodarze wrócą z pracy i zostanie przyłapany na samowolce. Słuchał wydobywających się z telewizora dźwięków jak pieni anielskich, a kiedy znienacka głos umilkł i zastąpiło go jękliwe, śpiewne zawodzenie niewiast w słusznym wieku, które zabrzmiało w jego czułych uszach jak dysonans, poczuł, że ogarnia go furia. Nie życzył sobie żadnego wycia. Chciał natychmiast znowu usłyszeć swojego nowego idola! Zaraz pogoni te babska. Nie będą mu paskudziły osobistej przyjemności.

Belzebub doskonale wiedział, jak przerazić przeciwnika. Zjeżył się jak szczotka, zawarczał ostrzegawczo i z impetem skoczył na odbiornik. Nie przewidział, że w ekran nie da się wbić pazurów, zjechał zatem z łomotem na podłogę. Zanim zdążył ponowić atak, podstawka telewizora pod ciężarem agresora zachybotała się i odbiornik poleciał w dół, po czym zaległ u stóp półek z promieniście pękniętą matrycą.

W ostatnim momencie przestraszony i zdezorientowany kocur umknął z pola rażenia i czmychnął tam, gdzie zawsze czuł się najbezpieczniej: na szafę pomiędzy paprotki. I w tym momencie usłyszał dźwięk przekręcanego w drzwiach klucza.

Lipscy akurat podchodzili do drzwi wejściowych, kiedy z wnętrza domu dobiegł ich głośny łomot. Na chwilę zamarli oboje i spojrzeli na siebie z popłochem.

– Dom się wali? – wyszemrała Marylka z wyraźną nadzieją. – Żeby tylko nie nieboszczyk…

– Zaraz… – Sławek ze zdenerwowania nie mógł trafić w otwór zamka. – Rany boskie… Żadnych nieboszczyków… Może znowu jakiś baran skarbów szuka… Marylka! Stój! Idź za mną! Cholera wie, co…

Wpadli do pokoju jednocześnie. Na widok leżącego na podłodze odbiornika obojgu wyrwało się westchnienie ulgi. Sławek przykucnął, podniósł go i obejrzał z uwagą ekran.

– No to nie mamy telewizora – oznajmił pogodnie. – A, co tam. Kupimy drugi, nowszy. Stać nas. Pracujemy i możemy na raty.

– Za gotówkę chyba też – dodała radośnie Marylka. – Tu jest ten sklep nie dla idiotów. Może się kwalifikujemy.

– Ciekawe, dlaczego on zleciał. – Lipski zmarszczył brwi. – Tak sam z siebie to chyba nie… Może…

– Może przeciąg był – wpadła mu w słowo żona, która obawiała się, że o uprawianie domowego wandalizmu zostanie oskarżony jej ulubieniec.

MAŁGORZATA J. KURSA

– Przeciąg? – Sławek wzruszył ramionami. – Kochana,
to nie jest piórko, żeby go zdmuch… A, chyba wiem. Patrz,
podstawka jest pęknięta… No, swoje lata pewnie miał…
– Miał – przytaknęła Marylka gorąco i w tym momencie
usłyszała żałosne miauknięcie. – Belzebub! Paskudny telewizor! Przestraszył koteczka? Chodź do mamusi. Pomizia-
my, nakarmimy. Już wszystko dobrze. Zejdź, kochany. Tatuś
zaraz posprząta to paskudztwo, które cię przestraszyło…
Po kolacji Sławek rozsiadł się z laptopem na kolanach
i zaczął przeglądać strony ze sprzętem elektronicznym.
Czynił to powoli, systematycznie i z przyjemną świadomością, że stać go na zakup. Nie zamierzał wybierać telewizora z najwyższej półki. Chciał jednak kupić odbiornik, który
długo mu posłuży i da się zamontować na ścianie. Wolał nie
ryzykować.
Marylka pozmywała po posiłku, wyciągnęła z zamrażal-
nika mięso na jutrzejszy obiad, sprawdziła, czy na pewno ma
pozostałe składniki, po czym, uspokojona w tym względzie,
powędrowała do łazienki, by zażyć relaksującej kąpieli po
męczącym dniu.
Belzebub, zachwycony, że nikt go nie podejrzewa o skró-
cenie żywota nieszczęsnego telewizora, postanowił towa-
rzyszyć swojej pani. Ponieważ wiedział, że Marylce zdarza
się chlapać, kiedy wchodzi do wanny, a woda nie była jego
ulubionym żywiołem, zwykle odczekiwał pod drzwiami, aż
usłyszy znajomy plusk świadczący o tym, że wanna została
już zaludniona.
Kiedy przymierzał się do skoku na klamkę, przypomniał
sobie, że może dodatkowo przysłużyć się swojej opiekunce.

Z doświadczenia wiedział, że Marylka uwielbiała w trakcie namaczania mówić do tego małego pudełeczka, które dwunożni nazywali komórką. Wrócił zatem do pokoju, spenetrował go dokładnie i interesujące go urządzenie dojrzał na ławie obok wpatrzonego w ekran laptopa Sławka. Zbliżył się bezszelestnie, rozdziawił paszczę, delikatnie wziął telefon w zęby i powędrował do łazienki.

Po chwili dobiegł stamtąd przeraźliwy krzyk Marylki, który od razu wyrwał magistra Lipskiego ze stanu przyjemnej kontemplacji:

– Belzebub!!! Nie!!! Coś ty zrobił?! Utopiłeś komórkę Sławka!!!

Kolejne miesiące mijały błyskawicznie. Lipscy uznali, że ich apteka już zaistniała w świadomości kraśniczan, bo klientów im nie brakowało. Przestali więc przesiadywać całymi dniami poza domem i podzielili się pracą – w jednym tygodniu ranną zmianę brała Marylka, a Sławek przychodził później; w następnym się zamieniali. Obiadami również zajmowali się na zmianę. W efekcie tego podziału uległy ograniczeniu możliwości Belzebuba. Kocur miał w ciągu dnia do dyspozycji zaledwie pięć godzin, które mógł poświęcić ulubionym zajęciom. Szybko się przystosował do nowego grafiku. Kiedy któreś z Lipskich było w domu, przysypiał w swoim pokoju. Natychmiast po ich wyjściu przystępował do działania. Zaczynał od inspekcji kuchni i lodówki, a kiedy już porządnie podjadł, obchodził lokum w poszukiwaniu nowej kryjówki dla skarbów, które zamierzał zgromadzić. Okazało się to niełatwe, ponieważ większość mebli, które idealnie nadawały się na koci skarbiec, była dostępna dwunożnym gospodarzom. Wszelkie szafy i szafki otwierali codziennie, jakby nic innego nie mieli do roboty. Musiał poszukać czegoś, co Lipscy ignorowali.

Dziw nad dziwy – najlepszy schowek miał pod samym nosem. W kocim pokoju pod oknem stała niemodna i już nieco nadgryziona zębem czasu kanapa, należąca niegdyś do poprzedniej właścicielki domu. Belzebub zajrzał za nią przez przypadek i naocznie stwierdził, że zszywki przytrzymujące materiał z tyłu puściły. Dziura była niewielka, ale kocur bez wysiłku ją powiększył, rozszarpując tkaninę pazurami. Wślizgnął się do środka i z zachwytem skonstatował, że miejsca na swoje skarby będzie miał pod dostatkiem, Lipscy bowiem odziedziczoną po ciotce Marylki pościel odświeżyli i wywieźli do pojemników na używaną odzież. Skrzynia ziała pustkami i Belzebub mógł w niej utykać swoje łupy, nie narażając się na ludzką inwigilację.

Kocur rozpoczął działalność jeszcze tego samego dnia. Nim Sławek (tym razem on miał poranną zmianę) wrócił z pracy, Belzebub zdążył zakamuflować w nowej kryjówce świeżo nabyty przez gospodarza zestaw śrubokrętów, apaszkę niedbale rzuconą przez Marylkę na komódkę w hallu oraz wałek do ciasta, bezczelnie wykradziony z kuchni niemal na oczach Lipskiego.

Niepokojąca dematerializacja rozmaitych przedmiotów irytowała i dziwiła dwunożnych lokatorów domostwa, bo

Belzebub był stworzeniem pracowitym i każdego dnia uzupełniał zapasy w swojej kryjówce, choć ostatnio działał ze zwiększoną ostrożnością. Przy okazji przedświątecznych porządków Lipscy odkryli bowiem pod lodówką doczesne szczątki własnych ubiorów. Marylka omal nie oskarżyła małżonka, że śmierdzącymi skarpetkami utkniętymi w kuchni chciał jej dać do zrozumienia, że o niego nie dba należycie. Sławek rozsądnie przeczekał agresywny słowotok połowicy i doznał nikłej satysfakcji, kiedy kolejnym znaleziskiem okazała się jej ukochana spódnica, która w niczym nie przypominała upiornie drogiej markowej kreacji. Satysfakcja była nikła, bo to on dokonał zakupu za własne, ciężko zarobione jeszcze w Lublinie, pieniądze. I to on teraz obrzucił podejrzliwym wzrokiem Belzebuba, siedzącego na kuchennym blacie z anielską miną, po czym wycelował w niego palec i oznajmił stanowczo:

– To na pewno robota tego czorta! Nie wierzę, że ciuchy same przyszły do kuchni, żeby urządzić sobie pochówek pod naszą lodówką!

Marylka przestała lamentować nad szczątkami swojego wytwornego ubioru. W normalnym stanie ducha broniłaby pupila do upadłego, ale tym razem wygrało zwykłe babskie rozżalenie.

– Belzebub! Jak mogłeś?! Tyle mam innych ubrań, musiałeś się czepić akurat tej spódnicy?

– Widać ma dobry gust – mruknął Sławek zgryźliwie i spojrzał srogo na kocura, który był w tym momencie uosobieniem urażonej niewinności. – Jeszcze jeden taki numer i kupię ci kaganiec!

– Będę musiała wszystko upychać w szafie – westchnęła żałośnie Marylka, która zwykle siała swoje rzeczy po całym domu. – Oj…

– A może te wszystkie przedmioty, które nam giną, to też jego sprawka? – przerwał jej Sławek.

– No coś ty! – Żona spojrzała na niego z oburzeniem. – To kot, a nie kleptoman! Jak by dał radę wziąć wałek? Albo taki duży nóż do chleba? I co z nimi robi? Wsysa czy od razu przerzuca do innego wymiaru? Szukaliśmy przecież wszędzie!... Już nie będziesz więcej gryzł ciuchów mamusi, prawda, kiciu? – Belzebub miauknął, zeskoczył z blatu i miłośnie owinął się wokół jej nóg. – Grzeczny kotek…

Katastrofa została zażegnana, jednakowoż na wszelki wypadek od tej pory kocur działał tylko wtedy, gdy dwunożni lokatorzy przebywali poza domem.

Nie wiadomo kiedy minęła jesień i nadeszły święta. Lipscy po raz pierwszy mieli je spędzić we własnym domu. Ponieważ rodzina Sławka zamieszkiwała okolice Trójmiasta i nie przejawiała ochoty do podróżowania komunikacją publiczną, a drogi Lubelszczyzny uznawała za zbyt niebezpieczne dla swoich własnych wychuchanych pojazdów, młodzi postanowili, że zaproszą jedynie Jakuba Tańskiego, ojca Marylki. Ten nie czynił żadnych fochów, kategorycznie wybił z głowy zięciowi wyprawę po niego do Lublina i oznajmił, że sam sobie poradzi. Uzgodnili tylko czas przyjazdu, bo Sławek doskonale wiedział, że teść nie pojawi się bez odpowiedniego zaprowiantowania. Co go bardzo cieszyło, albowiem bigos świąteczny produkowany przez ojca małżonki w ilościach hurtowych zajmował w osobistym rankingu Lipskiego zasłużone pierwsze miejsce (o czym przezornie Marylki nigdy nie informował).

Po raz pierwszy młodzi zaszaleli i kupili prawdziwą choinkę. Ekologiczną, w donicy, z zamiarem wysadzenia do ogrodu, żeby się drzewko – broń Boże – nie zmarnowało. W Lublinie na malutkim metrażu mogli sobie pozwolić jedynie na stroiki, umieszczane na takiej wysokości, by nie dobrał się do nich Belzebub. Przy czym Sławek po prostu chciał jak najdłużej czuć świąteczny nastrój (bo lubił), Marylka zaś bała się panicznie, że jej pieszczoch zadławi się lub zatruje igłami.

Tym razem w euforii obeszli cały kraśnicki targ, zgodnie wybrali drzewko, wyobrażając sobie, jak pięknie będzie wyglądać udekorowane świeżo kupionymi ozdobami, umocowali je na dachu samochodu i dopiero kiedy wsiadali, tknęła ich przerażająca myśl:

– Belzebub! – wykrzyknęli jednocześnie i popatrzyli na siebie z popłochem.

– Zeżre! – jęknęła Marylka solo.

– Rozpieprzy! – przepowiedział ponuro Sławek.

– Może będziemy zamykać pokój i zastawiać tym ciężkim torobajłem, żeby nie mógł otworzyć? – podsunęła Marylka z nadzieją.

– Naprawdę uważasz, że latanie z potwornie ciężką deską do prasowania jest moim ulubionym sportem świątecznym? – W głosie męża dźwięczała wyraźna uszczypliwość.

– Trzeba zobaczyć, jak zareaguje na choinkę. W ostateczności postawimy ją przed domem, ubierzemy, podłączę światełka i będziemy sobie podziwiać przez okno – westchnął.

– W ostateczności – zgodziła się skwapliwie Marylka i szybko zmieniła temat na świąteczne menu.

Ku ich zdziwieniu i uldze Belzebub wprawdzie dokładnie obwąchał nowy nabytek, ale kiedy stwierdził, że kłuje, fuknął pogardliwie i przestał się nim interesować. O wiele bardziej fascynowały go upojne zapachy spożywcze dobywające się z wypchanych siatek. Marylka, uszczęśliwiona nadzieją, że choinka przetrwa, po kryjomu nagrodziła go sporym plastrem świątecznej szynki. Drugi dostał od Sławka, który wpadł na ten sam pomysł i zrealizował go w tajemnicy przed żoną, kiedy ta poszła się kąpać.

Jakub Tański przyjechał tydzień przed świętami. Porządnie zaprowiantowany – tak jak przewidział Sławek. Od progu oświadczył, że przejmuje rządy w kuchni, zlekceważył menu wymyślone przez gospodarzy i zabrał się do roboty po swojemu.

Marylka i Sławek w zasadzie przyjęli to z ulgą, bo w okresie przedświątecznym w aptece panował wzmożony ruch. Dzięki pomocy ojca Marylki mieli więcej czasu i mogli codziennie zastępować nieco przerzedzony jednodniowymi urlopami personel.

Belzebub natomiast napotkał poważne trudności na froncie domowym, Jakub Tański należał bowiem do tego gatunku dwunożnych, których nie można było rozbroić przymilnym mruczeniem ani żałosnym pomiaukiwaniem skłonić do podsunięcia wygłodzonemu kotu jakiegoś smakołyku. Przenikał kocie intencje jak jakiś cholerny rentgen, a kiedy uznawał, że Belzebub za bardzo interesuje się rozłożonymi w kuchni produktami spożywczymi, potrafił złapać ścierkę i bezdusznie dać mu do zrozumienia, że obecność kocura w tym miejscu jest niepożądana. Nie, nie, nigdy go nie uderzył, ale przecież żaden porządny kot nie zniesie, kiedy ktoś wymachuje mu nad głową kawałkiem szmaty, prawda? To strasznie uwłaczające kociej godności!

Tylko raz udało się Belzebubowi przechytrzyć starszego pana i później tego serdecznie żałował. Kiedy ojciec Marylki wyjął płaty śledziowe, by je wymoczyć przed dalszą obróbką, kocur porwał jeden, uciekł z łupem do hallu, schował się za szafką z obuwiem i tam łapczywie spożył zdobycz. Nigdy nie słyszał o Smoku Wawelskim, ale prawdopodobnie dorównał mu w gaszeniu pragnienia, choć i tak miał szczęście – nie pękł. Niemniej po tym incydencie obchodził z daleka kuchnię i Jakuba Tańskiego. Ubytki w wyżywieniu uzupełniał, kiedy do domu wracała Marylka.

Święta minęły spokojnie, obfitowały w domowe pyszności i cudowny luz. Każdy mógł robić, co chciał, więc trójka dwunożnych obstawiła się jedzeniem, zaległa w swoich ulubionych miejscach i zajęła się lekturą, bo wszyscy obdarowali się książkami. Telewizja nie zapewniła, niestety, nowości programowych. Nikt nie miał ochoty po raz setny oglądać tych samych filmów, więc gdzieś w tle z odtwarzacza płynął subtelny dźwięk kolęd, który nie przeszkadzał w czytaniu.

Belzebub okazał się chyba najbardziej pracowity. Pod choinką znalazł się prezent i dla niego. Poza rozmaitymi kocimi przysmakami kocur dostał interaktywną zabawkę, kupioną przez Lipskich z nadzieją, że zapewni pupilowi rozrywkę podczas ich nieobecności. Kolorowy tunelik z połyskliwą piłeczką, osadzony na karuzeli, został wnikliwie obwąchany, kiedy tylko Sławek ustawił go na dywanie. Kocur z uwagą przyjrzał się urządzeniu i od niechcenia pacnął łapą w piłkę, która błyskawicznie zaczęła się przemieszczać w środku.

– Podoba mu się! – ucieszyła się Marylka i uspokojona wróciła do spożywania świątecznych dań.

Belzebub jeszcze przez chwilę demonstracyjnie polował na piłeczkę, a kiedy dwunożni zajęli się swoimi sprawami i przestali zwracać na niego uwagę, przemknął do kuchni.

Kocie miseczki wypełnione były przysmakami, ale kocur nawet nie spojrzał w ich kierunku. Przez chwilę nasłuchiwał, po czym wskoczył na blat i otworzył lodówkę.

Lipscy trzymali się tradycji – wigilijna kolacja zawsze była postna. Dopiero po północy teść i zięć rzucali się na mięsne potrawy; Marylka wytrzymywała do następnego dnia, bo podjadała resztki wieczerzy. Żeby jednak męskie oczekiwanie niepotrzebnie się nie przedłużało, Jakub Tański wcześniej przygotowywał półmisek cienko pokrojonych wędlin i zostawiał go w lodówce. Belzebub zatem pożywił się solidnie, dokładnie umył, a potem wrócił do pokoju i, nażarty do wypęku, zasnął na kanapie.

Przestępstwo nie zostało odkryte, gdyż obaj panowie wzajemnie się podejrzewali o zaspokojenie apetytu w kuchennym zaciszu.

Kolejne świąteczne dni Belzebub starał się spędzać w towarzystwie dwunożnych. Pchał się na kolana, podtykał do miziania czarną łepetynę, mruczał jak traktorek, zaglądając im miłośnie w oczy – jednym słowem: zachowywał się jak koci ideał. W przerwach zabawiał się swoim prezentem, co Marylkę rozczulało i napełniało nadzieją, że udało jej się uszczęśliwić pupila.

Po Nowym Roku, kiedy ojciec Marylki wrócił do Lublina, a Lipscy poszli do pracy, Belzebub z ulgą zawlókł zabawkę na piętro do swojego pokoju, rozłożył na czynniki pierwsze i zamelinował w swojej kryjówce. Nareszcie miał spokój.

W połowie stycznia porządnie sypnęło śniegiem. Na gałęzi głogu, który rósł naprzeciwko okna dużego pokoju, Sławek zawiesił karmnik dla ptaków, znaleziony podczas porządków w garażu, Marylka dołożyła kule dla sikorek i Belzebub zagustował szybko w nowej rozrywce. Całymi dniami wylegiwał się na szerokim parapecie i łakomie obserwował wizytujące stołówkę ptaki. Zajęcie było tak absorbujące, że porzucił wszystkie inne. Świergot za oknem i trzepot skrzydeł doprowadzał kocura do szewskiej pasji – koniuszek ogona drgał nerwowo, napięte ciało gotowe było do ataku, oczy ani na sekundę nie odrywały się od pierzastych intruzów. Cóż, kiedy łupy pozostawały nieosiągalne; nieszczęsny Belzebub mógł jedynie patrzeć na swoje niedoszłe ofiary.

Lipscy nie skojarzyli przerwy w znikaniu przedmiotów domowego użytku z nowym zajęciem ulubieńca. Uznali zjawisko za naturalne – ginęło, przestało, prawdopodobnie domiszcze przywykło do lokatorów i więcej im dokuczać nie będzie. Uczucia Belzebuba rozumieli doskonale – kot wychowywany od małego na wysokim piętrze lubelskiego wieżowca nie miał wiele okazji, by obserwować na żywo ptactwo w ilościach przekraczających normę. Wieść o darmowej stołówce rozeszła się, widać – *nomen omen* – lotem ptaka pośród skrzydlatego bractwa, bo do karmnika zlatywały się sikorki, wróble, sierpówki, składał w nim wizyty duży dzięcioł z czerwoną czapeczką na łebku, a czasem błękitny kowalik. I ludzie z przyjemnością podziwiali ten latający inwentarz, więc cóż się dziwić miejskiemu kotu?

Sławek był zdania, że – gdyby nie szyba – z ptaków zostałoby tylko pierze, ale Marylka gorąco broniła Belzebuba, upierając się, że kocur ma pokojowe zamiary, a w dodatku mocno rozwinięte poczucie estetyki, bo przecież widok jest uroczy.

Na szczęście dzięki szybie nigdy nie doszło do konfrontacji na linii kot–ptaki, a kiedy zima podała tyły i skrzydlate towarzystwo porzuciło stołówkę, Belzebub znalazł sobie nowe zajęcie.

Już wcześniej zauważył pewną destabilizację domowego podłoża. W hallu, kuchni i obu łazienkach znajdowała się posadzka z płytek, w pokojach i korytarzach na parterze oraz piętrze królował porządny dębowy parkiet. Był w bardzo dobrym stanie, bo poprzednia właścicielka dbała o niego, jednakowoż zupełnym przypadkiem Belzebub zauważył, że niektóre klepki przy łazience na dole skrzypią, kiedy przemieszcza się po nich jedenaście kilo kota. Zaintrygowany tym faktem przeszedł się parę razy w tym miejscu, potem je dokładnie spenetrował z nosem przy parkiecie i odkrył, że pomiędzy dwiema klepkami są szpary. Udało mu się wcisnąć w nie pazury, ale niczego więcej nie osiągnął. Nie przejął się tym. Najważniejsze, że miał konkretny cel. Musiał, co prawda, trochę pokombinować i chyba czekał go spory wysiłek, ale wszystko było lepsze od nudy. Dysponował nieograniczonym czasem i dużą inwencją twórczą. Gdyby kotom przyznawano dyplomy, z pewnością Belzebub otrzymałby tytuł inżyniera, fachowca od rozbiórek.

Był piątkowy wieczór. Sławek leżał na kanapie, trawiąc kolację i skacząc pilotem po telewizyjnych kanałach. Na dywanie Belzebub pracowicie unicestwiał gazetę z programem, używając do tego celu kłów i pazurów. Lipski nie zwracał na to uwagi, bo rozpierało go błogie zadowolenie – czekała go wolna sobota. Jutro dyżur w aptece (otwartej krócej niż zwykle) przejmowała małżonka, a on miał się zająć domem i gospodarskim okiem przyjrzeć ogrodowi. Po wielogodzinnych dyskusjach z Maminką i przeglądaniu rozmaitych stron ogrodniczych w internecie uznał, że zgłębił temat na tyle, by sobie poradzić. Najpierw zamierzał sprawdzić stan wszystkich roślin, a potem przystąpić do wprowadzania zmian. Czuł w sobie zieloną duszę i pchało go do czynu. Zrobi Marylce najpiękniejszy ogród w Kraśniku.

Przed oczami miał wysoką grządkę z ziołami, do której przekonała go Maminka, i dorodne cukinie osobiście wyhodowane. No i bez musi posadzić przy wejściu do domu, bo ta ciotka – świeć, Panie, nad jej duszą – chyba nie była jego wielbicielką, a Sławkowi kwitnące bzy zawsze kojarzyły się ze spokojem i ogólną sielanką. A może by skalniaczek machnąć od strony ulicy?

Zadumany nie zwrócił uwagi na małżonkę, która nadała krótki komunikat, że idzie się kąpać, i nucąc pod nosem jakąś radosną piosneczkę, pomknęła do łazienki. Tkwił w innym wymiarze, pełnym barw i zapachów, jednym słowem: ogród swój widział ogromny.

Z błogich rojeń wydarł go brutalnie nieoczekiwany rumor, a wraz z nim nabożne i trwożne:

– O Jezu!

Błyskawicznie poderwał się z kanapy i pognał ku łazience, ponaglany żałosnymi pojękiwaniami ukochanej. W połowie korytarzyka potknął się o plastikową butelkę z szamponem, nie utrzymał pionu i ciężko klapnął na podłogę z przekleństwem na ustach.

– Karrtofelki niekopane! Co to jest?! Pułapka jakaś?!

Marylka, dziwnie zgięta, obejmowała czule swoją nogę i posykiwała boleśnie. Na głos męża poderwała głowę, spojrzała na niego roziskrzonym wzrokiem i ostrożnie przesunęła swoje tylne rejony, wskazując palcem odsłonięte miejsce.

– Czy w tym domu straszy? – zapytała z furią. – Egzorcyzmy mamy odprawić? Zobacz! Co to jest?! Ja tego nie zrobiłam, ty tego nie zrobiłeś, to kto?! Ten kurhanek cholerny się mści zza grobu?! Bo ciotka chyba nie ma powodu?!

Sławek posłusznie spojrzał we wskazane miejsce i zdębiał niczym podłoże, na którym zalegał. Ku swojemu zdumieniu zobaczył... dziurę. Sześć dębowych klepek zaginęło bez wieści. Nie pomogło wytrzeszczanie oczu – dziura tam była i bezczelnie raziła Sławkowe poczucie estetyki pociemniałym ze starości cementem.

Lipski bezradnie poczochrał się po kędzierzawej czuprynie, pogmerał ręką w wyrwie, jakby miał nadzieję, że klepki są na miejscu, a tylko on ich nie widzi, po czym wzruszył ramionami.

– Marylka, no co ty... Jakie egzorcyzmy... Jaki kurhanek...

– A kto?! – wrzasnęła Marylka nieco łzawo, bo nieźle się potłukła. – Wszystko znika! Bez śladu! A teraz jeszcze ten parkiet! Mogłam się połamać! Albo nawet kark skręcić! Po kryjomu to robi ten kurhanek cholerny! Zabiję go! – przyrzekła solennie.

– Nie możesz. Już go ukatrupił Bel... – Sławek urwał, bo tknęło go nagłe podejrzenie. – Ja bym coś sprawdził...

Poderwał się i pognał do pokoju. Obszedł go, zaglądając we wszystkie kąty, ale po kocie nie było śladu ni popiołu.

– Co byś sprawdził? – Marylka przykuśtykała za mężem i stała w drzwiach, przyglądając mu się pytająco.

– Wiesz, co ja myślę? Że to nie żaden kurhanek, tylko Belzebub – oświadczył Sławek stanowczo.

– Oszalałeś chyba. Kot znika te wszystkie rzeczy? Znaczy, nie znika, tylko... przepada? – zastanowiła się. – Też nie... Dematerializuje? I robi generalną rozbiórkę naszego domu? Na litość boską, to nie buldożer! To mały, niewinny kotek!

Sławek rzucił jej niedowierzające spojrzenie, ale powstrzymał określenia, które same pchały mu się na usta. Wszystkie wszakże były jak najdalsze od przymiotnika „niewinny".

– Czymś by trzeba zatkać tę dziurę, bo znowu się rozbiję. – Marylka usiłowała oderwać myśli męża od ewentualnych przewinień swojego pieszczocha. Zresztą nie wierzyła w te oskarżenia.

– Czym? – zainteresował się Lipski zgryźliwie. – Sobą mam zatkać? Skąd ci wezmę klepki? Dziura jest, klepek nie ma!

– Nóg nie mają, o ile mi wiadomo – odparowała żona. – Gdzieś tu muszą być.

– Powinny. I chyba nawet domyślam się, gdzie szukać. – Sławek energicznie skierował się do hallu.

– Co chcesz zrobić? – Zaniepokojona Marylka natychmiast zapomniała o swojej kontuzjowanej nodze i pokuśtykała za nim. – Dokąd idziesz? Nie możesz stresować Belzebuba! Przecież koty nie potrafią robić takich rzeczy! Jesteś niesprawiedliwy!

Sławek zatrzymał się raptownie i odwrócił się do żony.

– Koty może nie – powiedział powoli. – Ale Belzebub... Coraz częściej się zastanawiam, czy to na pewno kot. Może te egzorcyzmy rzeczywiście by się przydały... A teraz możesz sobie protestować, ile chcesz, a ja i tak dokładnie przeszukam koci pokój. A jeśli znajdę dowody, że to ten czort... – Urwał złowieszczo.

Marylka struchlała. Na co dzień jej małżonek był optymistą, który zawsze uważał, że szklanka jest do połowy pełna, człowiekiem nad wyraz spokojnym i rozsądnym, w sytuacjach podbramkowych niepopadającym w niemęską histerię i czarnowidztwo, a od razu szukającym rozwiązania. Jednakże od czasu do czasu wyłaził z niego typowy macho i wtedy musiała porządnie się napocić, by rozładować jego złość. Miała potężne obawy, że tym razem może nie sprostać wyzwaniu, a to mogło się skończyć przykrymi konsekwencjami dla jej ulubieńca.

Kiedy Sławek ruszył na piętro, wzięła się w garść i pokuśtykała za nim, gotowa zasłonić pupila własną piersią. Pocieszał ją nieco fakt, że małżonka brzydziły jakiekolwiek przejawy przemocy wobec płci przeciwnej. Chociaż... Belzebub był, niestety, kocim facetem. Niby wykastrowanym, ale czy Sławek weźmie to pod uwagę przy wymierzaniu kary? Nie, no bzdura kompletna. Jakiej kary? Za co? Przecież to niemożliwe, żeby normalny kot poradził sobie z wyjęciem klepek z parkietu... No, może kot obronny ma większe możliwości, ale bez przesady...

Marylce przed oczami stanął obraz Belzebuba dzierżącego w przedniej łapie jakieś narzędzie dłubalne (nie znała się kompletnie na rozbiórkach domowych) i pracowicie podważającego deseczkę po deseczce. Otrząsnęła się z trudem i przyśpieszyła, bo małżonek stanął już w drzwiach kociego pokoju i lada moment mogło dojść do konfrontacji.

Lipski pstryknął kontaktem i z uwagą rozejrzał się po pokoju. Nigdzie nie dostrzegł kocura, ale drzwiczki jego ulubionej kryjówki, czyli szafki nocnej, były niedomknięte. Jednym skokiem znalazł się przy nich i otworzył je szeroko. W środku, zwinięty w kłębek, leżał Belzebub.

Dwa, tak różne gatunkowo, samce łypnęły na siebie ciężkim wzrokiem. Sławek stał nieruchomo jak skała i Belzebub szybko zrozumiał, że nie ma na co czekać. Wylazł z szafki, ziewnął szeroko, przeciągnął się rozkosznie i rozwalił na stopach gospodarza, wystawiając czarne brzuszysko do miziania. Mruczał tak głośno, że i stojąca w drzwiach Marylka go słyszała.

– Sławuś, on cię przeprasza – wyszemrała błagalnie.

– Nie chcę, żeby mnie przepraszał, tylko żeby mi oddał klepki – wycedził Lipski, choć serce mu zmiękło.

– Idź na dół. Ja mu wszystko wytłumaczę. Jeśli to naprawdę on, to odda – zapewniła gorąco małżonka, wchodząc do pokoju.

Sławek, który nie za bardzo miał pojęcie, jak zmusić kota, by oddał łup, uznał, że może się wycofać, nie tracąc autorytetu. Kiwnął w milczeniu głową i wrócił do salonu. Zasiadł w fotelu, wyłączył telewizor i zaczął kombinować, skąd wziąć klepki w liczbie sztuk sześć, w określonych rozmiarach i odpowiednim gatunku. Z tego, co wiedział, sprzedawano je w metrach kwadratowych. Jeśli poprosi o kilka sztuk, każdy sprzedawca uzna go za wariata. Może na wszelki wypadek kupić ten metr i upchnąć w garażu jako zabezpieczenie na przyszłość? Bo czy to wiadomo, co temu cholernemu kotu jeszcze przyjdzie do łepetyny?

Sławek oczami duszy zobaczył klepisko zamiast podłogi w salonie i włos mu się zjeżył na głowie.

Do pokoju weszła Marylka, usiadła na drugim fotelu i spojrzała niepewnie na męża.

– Wytłumaczyłam mu – oznajmiła z westchnieniem. – Nie wyglądał na chętnego do współpracy, więc dałam mu czas do namysłu.

– Zrozumiał? – W głosie Sławka dźwięczała gryząca ironia.

– Chyba tak. Bo mu powiedziałam, że nie chcę mieszkać w melinie. I że mogłam się zabić przez te jego ciągotki rozbiórkowe… Belzebub jest mądry – żachnęła się na kpiące spojrzenie męża. – Na pewno zrozumiał. Zobaczymy, co teraz zrobi. Po prostu poczekajmy chwilę.

– Chwilę? – Sławek uniósł brwi. – Jesteś pewna, że kocia chwila trwa tyle samo co ludzka?

– Chyba nawet krócej – pocieszyła go Marylka. – Bo kiedy Belzebub chce jeść, sprawia wrażenie, że moja chwila to dla niego wieki.

Belzebub istotnie był mądrym kotem, a przy tym przez cztery lata pobytu u Lipskich nauczył się doskonale wyczuwać ich emocje i oczekiwania. Wiedział, że Marylka dysponuje nieograniczoną wytrzymałością i każdy jego wyczyn przyjmie ze zrozumieniem (jeśli nie z zachwytem). Miał też świadomość, że Lipski pod tym względem jest nieco wybrakowany i ma dość niski pułap tolerancji. Kocur uznał, że

tym razem musi ustąpić, jednakże nie zamierzał dekonspi-
rować swojej kryjówki.

Kiedy Marylka – po łzawej tyradzie podpartej demon-
stracją potłuczonej kończyny – wyszła wreszcie, Belzebub
zabrał się do roboty. Czekała go niełatwa operacja wydoby-
cia upragnionych przez Sławka cholernych klepek spośród
licznych klamotów od kilku miesięcy upychanych w kanapie. Zajęło mu to siedem najdłuższych minut w jego kocim
życiu. Nie dość, że się porządnie umęczył, to jeszcze przez
cały ten czas nasłuchiwał, czy przypadkiem któreś z Lipskich nie wpadło na pomysł, by zajrzeć do jego pokoju. Nie
życzył sobie, by zawartość kryjówki wyszła na jaw. To była
jego i tylko jego własność.

Kiedy wszystkie klepki spoczęły na dywanie, Belzebub
ogarnął je pełnym żalu spojrzeniem. Tyle się napracował
przy ich zdobywaniu... Trudno. Odda, co musi, ale o resz-
cie niech zapomną.

Pojedynczo wynosił łup w zębach i składał na kupkę
przy schodach. Kiedy ostatnia klepka spoczęła obok swoich
siostrzyc, kocur przeciągnął się, usiadł przy swoim skarbie
i rozdarł się przeraźliwie. Tak jak przewidział, z parteru dobiegł podwójny tupot i po chwili oboje gospodarze znaleźli
się na górze, spoglądając to na szczątki parkietu, to na siebie.

Sławek był w szoku, bo usiłował sobie wyobrazić, w jaki
sposób kotu udało się to nieszczęsne drewno wydłubać bez
użycia narzędzi. Przemknęło mu przez myśl, że powinien
wziąć Belzebuba do pomocy, jeśli kiedykolwiek zdecyduje
się na demontaż czegoś, co wymaga porządnego nakładu
pracy. Najpierw poczuł ulgę i niemal wdzięczność, że kocur

zdecydował się na zwrot zagrabionego mienia, a zaraz potem zaczął się zastanawiać, czy istnieje na świecie tak silne lepiszcze, żeby koci sabotażysta nie dał mu rady.

W Marylce ulga walczyła z poważnym przerażeniem. No dobrze, to tylko klepki z parkietu, ale przecież jej ukochany pupil mógł sobie przy takiej katorżniczej dla małego kotka pracy rozbiórkowej poważnie uszkodzić pazurki! A co będzie, jeśli przyjdzie mu ochota zdemontować coś większego? Oczyma wyobraźni ujrzała konającego w męczarniach Belzebuba, przygniecionego starą szafą stojącą w hallu.

– A ja tu nawet nie znam żadnego weterynarza! – wyrwało jej się ze zgrozą. Padła na obolałe kolana przed siedzącym jak trusia kocurem i poprosiła łzawo: – Belzebub, kiciuniu, nie ruszaj takich rzeczy, bo zrobisz sobie krzywdę… No, wiem, że się nudzisz. Przysięgam, że coś wymyślę, tylko odpuść sobie te rozbiórki, dobrze?

Kot rzucił jej pogardliwe spojrzenie, zdusił w zarodku obelżywe miauknięcie, wstał, ominął ją i majestatycznie zszedł na dół, po czym rozdarł się ponaglająco, co wytresowany umysł Marylki od razu przetłumaczył na prosty komunikat: „Jeść, kobieto!". Poderwała się z klęczek i posykując nieco z bólu, posłusznie ruszyła do kuchni.

Sławek skrupulatnie zebrał wszystkie klepki i postanowił tymczasowo wynieść je do garażu, a ubytek w parkiecie zatkać na razie starymi gazetami i przykryć wyliniałym dywanikiem, który znalazł za szafą w hallu. Chwilowo pożegnał się z rojeniami na temat ogrodu. Musiał koniecznie pogadać z Maminką, zanim dziedzictwo małżonki zostanie dokumentnie zdemolowane przez czworonożnego domownika.

– Ale Maminka… Nie, ja nie mogę… A jak coś mu się stanie? – Marylka za wszelką cenę usiłowała storpedować podsunięty przez sąsiadkę pomysł. Nie było to łatwe, bo poparł go jej małżonek, ale tam, gdzie chodziło o bezpieczeństwo ukochanego pieszczocha, magister Lipska nabierała twardości hartowanej stali. – Nie zgadzam się! Belzebub to kot kanapowy! Nigdy w życiu nie był na dworze! Tyle zapachów, tyle nieznanych bodźców… Może przeżyć traumę, a ja tu… No właśnie, Maminka. Ja tu nie znam żadnego weterynarza! – oświadczyła gniewnie. – A powinnam, bo nigdy nie wiadomo, kiedy będzie potrzebny!

Marta Artymowicz rzuciła jej spojrzenie, jakim obdarza się uparte dziecko, i nie przestając głaskać mruczącego Belzebuba, odparła spokojnie:

– Zapomnij na razie o weterynarzu i skup się na temacie, bo inaczej zostaniesz bez dachu nad głową i bez męża. Żaden chłop nie wytrzyma takich atrakcji na dłuższą metę… Marylka, ja ci nie każę zamykać Belzebuba w klatce, tylko proponuję, żebyś z nim zaczęła wychodzić…

– Tam są psy! – jęknęła Marylka rozpaczliwie.

– Gdzie? W twoim ogrodzie? – Marta uniosła brwi. – To chyba pochowały się na mój widok, bo żadnego nie widziałam… Nie każę ci latać na spacery po mieście. Wystarczy, że…

– Ale Belzebub może dostać szoku i uciec! I zgubić się! – Marylka zaparła się przy swoim.

– Dlatego Maminka mówiła, żeby kupić szelki i smycz – nie wytrzymał Sławek. – Będziemy go wyprowadzać do ogrodu na długiej smyczy, żeby sobie mógł pozwiedzać. To chyba lepsze niż doprowadzenie domu do ruiny?

– On się nudzi – powiedziała Marta, drapiąc uszczęśliwionego kocura za uszkiem. – Potrzebuje rozrywki. Nie musisz z nim chodzić codziennie, ale choć dwa razy w tygodniu by się przydało. Jak się trochę zmęczy, to nie będzie miał ochoty na prace rozbiórkowe. Lato idzie. Niech sobie kocina zażyje słoneczka.

– A jak przegryzie smycz? – Marylka nie odpuszczała. – Maminka, ty nie wiesz...

– Widziałaś te dwa husky, z którymi facet dwa razy dziennie biega po parku przy naszej aptece? – przerwał jej Sławek. – Dwa wielkie psy z wielkimi zębami. Na smyczach. Jeśli kupimy porządną smycz, nic się nie stanie. A Maminka ma rację, spacery są bezpieczniejsze. Zobacz, jakie ten czort ma już dokonania: wyprodukował jednego nieboszczyka, jednego niedobitka, zniszczył nam ciuchy, rozwalił podłogę... Co zrobimy, jak mu przyjdzie ochota dobrać się do ścian?

Marylka zwiesiła głowę i zamilkła, bo argumenty były mocne. Nieboszczyka i niedobitka miała wątpliwą przyjemność oglądać na własne oczy, efekty upodobania Belzebuba do ciuchów znalazła pod lodówką, a ubytek w parkiecie odczuła na sobie.

W słoneczne piątkowe późne popołudnie Belzebub został uhonorowany specjalnym prezentem. Mocną, elegancką smycz i gustowne szeleczki Lipscy nabyli w poleconym przez Martę sklepie zoologicznym. Teraz Marylka próbowała przekonać kocura do założenia nabytku.

Belzebub dokładnie obwąchał oprzyrządowanie, trącił je łapą, usiadł i spojrzał na magister Lipską, jakby czekał na wyjaśnienie, do czego ten dziwny przedmiot ma służyć.

– Będziemy chodzić na spacerki, wiesz, kiciu? – Marylka przykucnęła obok niego. – Włożymy szeleczki, przypniemy smyczkę i pójdziemy do ogródka. Zobaczysz ptaszki, motylki, pobiegasz sobie po trawce... No, chodź, skarbie. Mamusia włoży. Nie bój się, nie będzie bolało, tu są rzepy...

Belzebub przymrużył złociste oczy, syknął ostrzegawczo i na wszelki wypadek odsunął się na bezpieczną odległość od tego dziwnego ustrojstwa, które podtykała mu ukochana pani. Co to ma być? Kot na uwięzi? Chyba tym dwunożnym rozum odjęło. Może jeszcze budę mu zrobią? Niedoczekanie!

– Belzebub, chodź tu... – Do akcji wkroczyła Marta, która z rozbawieniem obserwowała daremne wysiłki magister Lipskiej. – Dawaj grzbiet. Albo to włożysz i zażyjesz spaceru, albo już po wsze czasy będziesz się nudził w domu. Świat na zewnątrz jest o wiele ciekawszy niż tutaj – mówiła spokojnie, odbierając od Marylki oprzyrządowanie. – Stój grzecznie i nie fukaj, bo na mnie to nie robi wrażenia. Masz pojęcie, jak pięknie pachnie ziemia po deszczu? Ileż ty dzisiaj ciekawych odkryć dokonasz w ogrodzie, zobaczysz, kochany... W dodatku masz bardzo elegancki strój wyjściowy. – Sprawnie wkładała szelki, nie przestając mówić. – W końcu jesteś księciem piekieł... No, zobacz, jaki z ciebie piękniś. – Przypięła smycz, pokazała Sławkowi gestem, by otworzył drzwi, podniosła kocura i postawiła go na zewnętrznych schodach.

Belzebub natychmiast zapomniał o oporze, bo jego nozdrza zaatakowały nieznane zapachy. Znieruchomiał i chłonął je w upojeniu.

– A mnie to nie chciał słuchać! – wyrwało się Marylce, która starała się ukryć zazdrość.

– Bo wyczuł, że nie jesteś pewna siebie. – Marta się uśmiechnęła. – Nie chciałaś go naciskać. Ja go po prostu zagadałam... No, trzymaj. Pozwól mu zwiedzać i nie popędzaj. Niech sobie wszystko obwącha.

– Ale nie idziesz jeszcze, Maminka? – Marylka czuła się pewniej w jej obecności.

– Nie. Popatrzę sobie, jak Belzebub odkrywa świat.

– To siadajmy na ławce – zaproponował uczynnie Sławek, który wiedział, że sąsiadka nie znosi stać.

– Siadajmy – zgodziła się Marta z wdzięcznością i od razu klapnęła na drewnianą ławeczkę usytuowaną tuż przy ścianie domu.

– Maminka, on chyba się boi – zaraportowała Marylka, która z niepokojem obserwowała nieruchomego jak czarna statuetka pupila.

– Nic mu nie będzie. Musi się oswoić z przestrzenią. Nie poganiaj go. Niech sam decyduje. – Marta oparła się wygodnie, wystawiając twarz na majowe słońce.

Magister Lipska cierpliwie stała więc na schodkach, czekając, aż Belzebub zakończy kontemplację i ruszy na obchód rodzinnych włości. Na wszelki wypadek smycz owinęła wokół nadgarstka.

Kocur wreszcie przestał węszyć i ostrożnie zszedł na prowadzący do domu chodniczek, a potem na trawnik. Znowu przystanął, jakby zaskoczony, a potem nieoczekiwanie przewrócił się na grzbiet i zaczął tarzać. Marylka uznała, że jej pieszczochowi spodobała się wycieczka, i – już spokojniejsza – wolno poszła za nim, kiedy poderwał się na cztery łapy, po czym z nosem w trawie zaczął przesuwać się w stronę ogrodzenia.

– Zachowuje się jak pies – zauważył Sławek ze zdziwieniem.

– Większość zwierząt poznaje świat węchem – odparła spokojnie Marta. – Oj, będzie miał dziś dużo wrażeń...

Belzebub dotarł do pnia głogu i nim Marylka zdążyła go powstrzymać, wspiął się na wysoką gałąź. Magister Lipska najpierw zastygła spanikowana, a potem jęknęła na pół ulicy:

– No i co teraz?! Spadnie zaraz! Belzebub nigdy w życiu nie chodził po drzewach! Sławek, zrób coś!!! Belzebub!!!

Z domu sąsiadującego z posesją Lipskich po lewej wychodzili właśnie dwaj mężczyźni, dźwigając wielkie lustro. Musiało być ciężkie, bo obaj przy tym posapywali i ostrożnie przesuwali się ku zaparkowanemu na uliczce samochodowi. Na dramatyczny okrzyk Marylki stanęli jak wryci, a niesiony przedmiot o mały włos nie wyleciał im z rąk. Przytrzymali go w ostatniej chwili i spojrzeli na podrygującą pod drzewem niewiastę.

– Proszęż, proszęż, no i czemu sąsiadka tak krzyczy? – odezwał się jeden z naganą w głosie.

– Ależ, panie tego, dlaczego Belzebub? – zainteresował się drugi, wyraźnie zbulwersowany. – Dawno temu baby się upierały, że na topolach Matkę Boską widziały, ale diabła? W Kraśniku?!

Siedząca na ławce Marta parsknęła śmiechem na widok zniesmaczonych min obu panów. Pomachała ku nim uspokajająco.

– Kot jej wlazł na drzewo i spanikowała – wyjaśniła z rozbawieniem. – Wabi się Belzebub. Nic się nie stało.

– Jak to nie?! – wybuchnęła Marylka, z rozpaczą wypatrując wśród gałęzi ulubieńca. – Jak on teraz zejdzie? Maminka, zrób coś! Sławek, dra...

– Uspokój się i przestań ludzi straszyć – przerwała jej Marta stanowczo. – Bo jak panowie zbiją to lustro, obciążą cię kosztami... Marylka, koty naprawdę potrafią chodzić po drzewach. Belzebub zlezie sam, jak już sobie pozwiedza... Rany boskie, dziecku kiedyś też na nic nie pozwolisz? Wyluzuj, dziewczyno.

Panowie dotarli do samochodu, pieczołowicie umieścili lustro w środku, spojrzeli na siebie i podeszli do ogrodzenia Lipskich, wyraźnie zaciekawieni rozwojem wydarzeń. Nie czekali długo. Spośród liści wychynęła czarna kocia łepetyna. Na widok intruzów Belzebub położył uszy, wydał z siebie ostrzegawczy warkot i wbił złociste ślepia w obcych. Przez chwilę trwał w bezruchu, potem cofnął się pomiędzy gałęzie, zbiegł po pniu jak wiewiórka i runął ku ogrodzeniu. Marylka ściągnęła smycz w ostatniej chwili.

Obaj panowie błyskawicznie odskoczyli od sztachet i spojrzeli na siebie ze zgrozą.

– No, proszęż, proszęż, to jest agresywny kot!

– Czy on gryzie? Bo duży jakiś...

– To jest bardzo przyjacielski kotek – zełgała pośpiesz-nie Marylka, uszczęśliwiona, że pupil zdecydował się opuścić niebezpieczną kryjówkę. – Widocznie panów polubił i chciał się zaprzyjaźnić... Chodź, Belzebub. – Wzięła wyraźnie opierającego się kocura na ręce i ruszyła ku domowi. – Na dziś to chyba oboje mamy dość wrażeń...

Marta i Sławek pozostali na ławce, a panowie z sąsiedz-twa po namyśle zrezygnowali z dalszych pretensji i odeszli do swoich spraw: jeden wrócił do domu obok, drugi zaś wsiadł do samochodu i odjechał.

– Znasz ich, Maminka? – zapytał leniwie Sławek, wo-dząc wzrokiem po niebie, na którym majestatycznie sunęła paralotnia. – Ale komuś fajnie. – Westchnął z zazdrością. – Też bym tak chciał...

– W starej dzielnicy jest wypożyczalnia. Oboje możecie popatrzeć na Kraśnik z lotu ptaka... A tych dwóch znam. – Marta się uśmiechnęła. – Niewielu jest w tym miasteczku ludzi, których nie znam. Jeden to szewc, a drugi ramiarz i szklarz. Mieszkają naprzeciwko siebie, a na sąsiedniej uli-cy mają warsztaty. Też obok siebie... A, słuchaj, mój dro-gi. Wiem, że Marylka nie była dziś zachwycona efektami pierwszej kociej przechadzki, ale powinieneś ją przekonać, że to naprawdę dobrze kotu zrobi. Mój Kropek to włóczy-kij i czasem nie pokazuje się w domu przez kilka dni, ale w końcu wraca. Niech sobie Belzebub będzie dalej kotem kanapowym, jednakowoż nieco rozrywki mu się od czasu do czasu należy.

– Mam nadzieję, że już do niej dotarło, że z drzewami sobie radzi. – Magister Lipski westchnął potężnie i obiecał:

– Przekonam ją, Maminka. Podoba mi się ten dom, mam duże plany wobec ogrodu i chciałbym, żeby dzieci miały po nas co dziedziczyć. Muszę ją przekonać, zanim zostaniemy bez dachu nad głową…

Przekonywanie małżonki zostało Sławkowi oszczędzone. I bardzo dobrze, bo – choćby się do tego porządnie przyłożył, wysuwając najbardziej logiczne argumenty – nie dorównałby Belzebubowi. Kocurowi na tyle spodobała się wizyta na podwórku, że następnego popołudnia, kiedy Lipscy spożywali spóźniony obiad, usiadł w hallu i darł się tak przeraźliwie, że nie było mowy, by ten wrzask zignorować. Marylka śpieszyła się z jedzeniem do tego stopnia, że mało brakowało, by się udławiła. Nawet jej przez myśl nie przeszło, by zebrać talerze. Zostawiła wszystko, złapała szeleczki i runęła do hallu, jakby się paliło. Panicznie się wystraszyła, że sąsiedzi oskarżą ją o maltretowanie biednego zwierzątka.

Belzebub na jej widok przerwał nadawanie, podstawił grzbiet, odczekał grzecznie do momentu, gdy poszczególne elementy jego nowego stroju znalazły się na swoim miejscu, a potem pognał do drzwi.

Tym razem wycieczka trwała prawie godzinę. Kocur zdążył wytarzać się w trawie; dokładnie obwąchał dwa spore kamienie, które odkrył pod schodami; przewędrował cały ogródek, sporo uwagi poświęcając krzaczkowi lubczyku; na pniu starej jabłonki znalazł dwa nieznane mu chrząszcze, które pożarł z przyjemnością (Marylka odwróciła głowę, by na to nie patrzeć, a najchętniej zatkałaby również uszy, by tego nie słyszeć), po czym zaległ na gałęzi głogu i z zainteresowaniem obserwował otoczenie.

Lipska potulnie i cierpliwie stała pod drzewem, czekając, aż jej ulubieniec zdecyduje się opuścić swój ulubiony punkt widokowy. Przestępowała z nogi na nogę i z przyjemnością chłonęła zapachy, które niósł ku niej ciepły majowy wietrzyk. Było to połączenie woni znanych z dzieciństwa, kiedy spędzała wakacje u dziadków ze strony ojca w podrzeszowskiej wsi: zapach mokrej ziemi, mocny aromat bzów rosnących w okolicznych ogrodach i świeżo skoszonej trawy. I aż jej łzy w oczach stanęły, bo uznała, że zrobiła Belzebubowi wyjątkowe świństwo. Już od momentu przybycia do Kraśnika powinna była pomyśleć o wyprowadzaniu kota na zewnątrz. To nie Lublin i nie blok. Po coś ten ogródek w końcu się ma.

– Jestem leń i egoistka – mruknęła do siebie z niezadowoleniem i przysięgła sobie w duchu, że będzie wyprowadzać pieszczocha, kiedy tylko znajdzie wolną chwilę.

Dzięki temu postanowieniu przez kolejne dwa tygodnie maja czworonożny członek familii Lipskich niemal codziennie zażywał przechadzek, które sprawiły cud: Belzebub nie miał czasu ani ochoty na rozbiórki, ponieważ wrażeń miał aż nadto. Najbardziej ekscytujące było spotkanie z polną myszą, która – na szczęście – zdążyła umknąć.

Dochodziła czwarta rano, kiedy Belzebuba obudziło kwilenie ptaków. Ziewnął szeroko, usiadł na posłaniu i spojrzał na swoich dwunożnych, śpiących głębokim snem. Przeciągnął się porządnie i uznał, że powinien wykorzystać okazję. Wizyty w ogrodzie przypadły mu do gustu, ale o ileż ciekawsze byłyby przechadzki bez uwięzi i ludzkiego towarzystwa. Wprawdzie Sławek w oknach pozakładał siatkę, ale może udałoby się jakoś wymknąć na zewnątrz?

Belzebub wstał i bezszelestnie opuścił sypialnię Lipskich. Przemknął po schodach, odruchowo zajrzał do kuchni, by sprawdzić, czy nie znajdzie czegoś nadającego się do spożycia, po czym przeszedł do salonu i z uwagą przyjrzał się szeroko otwartemu oknu. Było zabezpieczone siatką. Z niezadowoleniem majtnął ogonem, wskoczył na szeroki parapet i zaczął dokładnie studiować sposób umocowania bariery odgradzającej go od wolności.

Sławek się postarał. Siatka była mocno naciągnięta, a przez jej oczka przewleczono sznurek, który przytrzymywały wkręcone we framugi haczyki. Belzebub mógł bez problemu wygryźć w niej dziurę, ale doskonale wiedział, że byłaby to sztuczka na raz. Marylka dostałaby amoku na tle kociego bezpieczeństwa i zmusiłaby męża do wymyślenia solidniejszego zabezpieczenia. Nie, dziura nie była wskazana...

Belzebub z uwagą przyjrzał się haczykom. Wyciągnąłby je bez trudu, bo uzębienie miał mocne. Tyle że nie zdołałby wkręcić ich ponownie i nocny spacer by się wydał. Mógł jednak postarać się jakoś zdjąć z nich obramowujący siatkę sznurek i prześlizgnąć się na zewnątrz. Na próbę zahaczył pazurem ciemnozieloną sztywną plecionkę i pociągnął ku sobie. Nie puściło. Przełożył zatem łapę przez oczko nad haczykiem i pociągnął bardziej w dół. Tym razem mu się udało. Kolejne haczyki na poziomej framudze zostały już błyskawicznie uwolnione z uwięzi piekielnej siatki, kocur szybko bowiem opanował sposób działania. Na wszelki wypadek zsunął jeszcze jedno oczko z bocznej ramy i na próbę popchnął zabezpieczenie czarną łepetyną. Mógł się przecisnąć. Droga ku wolności stała otworem.

Zachwycony swoimi dokonaniami Belzebub prześlizgnął się na zewnętrzny parapet, zasiadł na nim wygodnie i wciągnął w nozdrza intrygujące, pełne nieznanych zapachów powietrze.

Atramentowa czerń nocy powoli przechodziła w szarość. Kwilenie ptaków przybierało na sile, ale kota w tym momencie najbardziej nęciła dokładna penetracja okolicy. Zeskoczył z parapetu i ruszył w głąb ogrodu. Wszystko tu było tajemnicze i nieznane. I zupełnie inne niż za dnia.

Belzebub skrupulatnie obszedł cały teren, zaglądając pod każdy krzaczek. Na chwilę wsparł się całym ciałem o pień głogu i porządnie naostrzył pazury, a po namyśle jeszcze oznaczył drzewko moczem. W końcu był u siebie i zamierzał to dać do zrozumienia każdemu intruzowi, który bez zapowiedzi zechciałby złożyć mu wizytę. Zajrzał do balii na deszczówkę, napił się wody i ruszył na tyły posesji. Przy żywopłocie upolował z uciechą ćmę, którą od razu bez obrzydzenia skonsumował, usiadł, umył pyszczek i zaczął kombinować, co dalej. W ogrodzie właściwie nic ciekawego się nie działo. Budki, które na drzewach pozawieszał Sławek, zniechęcały do polowania na ptaki. Musiałby siedzieć i czatować, aż któryś z pierzastych lokatorów zechce opuścić azyl. Była to pracochłonna i niebezpieczna rozrywka. Ptaki mogły narobić hałasu, by odstraszyć agresora, a ten hałas mógł obudzić Lipskich i Belzebub raz na zawsze musiałby zapomnieć o samodzielnych przechadzkach.

Lekki podmuch wiatru poruszył kępą rozrośniętych paproci w kącie ogrodu i przyniósł zapach, który kocura zelektryzował. Przez chwilę Belzebub węszył pracowicie, stojąc na tylnych łapach jak surykatka, a potem wskoczył na konar niskopiennej jabłonki rosnącej tuż przy ogrodzeniu i obrócił łepek, usiłując ustalić, z której strony dochodzi znajoma woń.

Jeden sus i znalazł się w sąsiednim ogrodzie. Tu już nie zważał na topografię terenu, bo jego czuły nos wyłapał wzmocnioną nutę specyficznego zapaszku, który zapamiętał na całe życie, kojarzył mu się bowiem z polowaniem uwieńczonym sukcesem.

Węch podpowiadał kocurowi, że źródło znajomej woni znajduje się gdzieś w pobliżu. Belzebub wetknął nos pomiędzy sztachety. Miał pewność, że jest na dobrym tropie, ale przez szparę by się nie przecisnął, a pręty ogrodzenia zakończone były ostrymi grotami. Musiał znaleźć inny sposób, by wydostać się z obcego ogrodu i pójść za zapachem. Coraz bardziej zdeterminowany dostrzegł w samym rogu, tuż przy ogrodzeniu, drewnianą skrzynię na kompost. Wskoczył na jej brzeg, przeszedł po nim jak akrobata po linie, przymierzył się do skoku i z gracją wylądował w bujnej trawie poza posesją. Kiedy dotarł do źródła intrygującej woni, poczuł olbrzymią satysfakcję. Nos go nie mylił. Mógł zaprezentować Marylce kolejną zdobycz.

Dumny z siebie do wypęku i nieco zmęczony już miał zawrócić do domu, gdy dobiegły go czyjeś ostrożne kroki. Na wszelki wypadek rozpłaszczył się w wysokiej kępie traw i zamarł w bezruchu.

Nieznajomy intruz zbliżył się do znaleziska, które Belzebub już uznał za swoją własność, wyciągnął z kieszeni spodni małą buteleczkę i sporą część jej zawartości wylał na miejsce, w którym spoczywał całkowicie nadprogramowy element łączki. Koci nos zarejestrował upojny aromat waleriany i jego właściciel zapomniał o ostrożności. Wychynął z kryjówki, ostrożnie posuwając się ku źródłu cudownej woni, i w tym momencie obcy go dostrzegł. Cofnął się gwałtownie, a zaraz potem zrobił zamach nogą, by kopnąć kota.

Zszokowany Belzebub odskoczył błyskawicznie i zapadł w głęboką trawę, ale zagotowało się w nim. Nikt nigdy nie ośmielił się podnieść na niego ręki, a co dopiero nogi. Zdusił warkot, który w nim narastał, i zachłannie wciągnął w nozdrza przynależny do agresora zapach. Zapamięta go do końca życia. Jeśli kiedyś przypadek skrzyżuje ich ścieżki, podlec mu za to zapłaci.

Odczekał, aż intruz, burcząc pod nosem coś nieprzychylnego na temat kotów, odejdzie, i dopiero wtedy zawrócił do domu, rezygnując z powtórnych odwiedzin w cudzym ogrodzie i wciskając się na własny teren przez jakiś psi podkop, który umknął Sławkowi, bo zasłaniał go żywopłot. Wskoczył na parapet i przedostał się do pokoju, a potem starannie przywrócił siatkę ochronną do poprzedniego stanu, co wymagało większego wysiłku niż jej zsunięcie.

Solidnie zmordowany powlókł się na górę i zaległ na kanapie w kocim pokoju. Lipscy robili sporo zamieszania przy wstawaniu, a on musiał się porządnie zregenerować. Czekał go ciężki dzień. Wiedział, że będzie musiał mocno się napracować, by wyciągnąć Marylkę poza teren posesji.

Zapach wroga i obraz wyciągniętej do kopniaka nogi odcisnął się w jego mózgu na zawsze.

Była ostatnia majowa sobota. Lipscy spędzali ją w domu, ponieważ prześliczna Ida właśnie uzyskała odpowiednie uprawnienia i mogła ich zastąpić. Ze szczęściem w duszy scedowali zatem na nią sobotni dyżur, a sami postanowili cieszyć się weekendem.

Sławek, który od kilku tygodni robił listę zakupów związanych z renowacją przydomowego ogródka, zaraz po śniadaniu pojechał na targ i zamierzał odwiedzić po drodze pobliski sklep ogrodniczy. Marylka posprzątała po posiłku i już miała zamiar zabrać się do porządków większego kalibru, kiedy Belzebub donośnym miauknięciem oznajmił, że życzy sobie wyjść na przechadzkę.

– Poczekaj, skarbie. – Marylka zerknęła na duży szafkowy zegar stojący w hallu. – Aha, jedenasta… W zasadzie… Obiad mamy dziś na szybko. Wieczorkiem może zrobimy sobie grilla? Odkurzyć mogę później… No, dobra – zdecydowała. – Chodź do mamusi. Włożymy szelki i możemy iść… Ej, chwila! Jeszcze smycz, kochany! Nie będę ryzykować, że mi zginiesz… No! Teraz możemy iść.

Czuła się już pewnie, prowadząc kota na długiej smyczy. Umiała ją szybko ściągnąć, nie wpadała w panikę, kiedy Belzebub znikał wśród konarów. Pilnowała tylko, żeby nie zrobił krzywdy jakiemuś ptakowi i nie zniszczył żadnego gniazda. Dlatego pozwalała kotu wspinać się na głóg i jabłonkę, a odciągała go, gdy próbował wdrapać się na śliwę, na której Sławek odkrył świeżo zbudowane ptasie lokum. W przyszłym roku mieli zamiar zapewnić pierzastym mieszkańcom ogrodu bardziej luksusowe apartamenty. Lipski ambitnie postanowił własnoręcznie zbudować budki. Dwie, które poprzedni właściciele zainstalowali w ogrodzie, nie zaspokajały potrzeb nowych gospodarzy. Marylka i Sławek zamierzali ściągnąć do siebie jak najwięcej skrzydlatych gości.

Belzebub najpierw zrobił obchód całej posesji, dokładnie obwąchał wszelkie dziury i szpary przy podmurówce, po czym zawrócił na tyły ogródka, usiadł z podniesioną łepetyną i zawęszył. Przez chwilę tkwił nieruchomo, a potem poderwał się znienacka i powlókł zaskoczoną Marylkę w kierunku furtki. Kiedy ściągnęła smycz tuż przy sztachetach, spojrzał na nią wściekle i wydał z siebie zniecierpliwiony wrzask.

– Nie, kochany. – Lipska pokręciła głową stanowczo. – Podwórko należy do ciebie, ale za płotem to już obcy teren. Samochody tam jeżdżą, psy biegają. Co zrobimy, jak któryś nas napadnie? – Zastanowiła się chwilę i dodała wyjaśniająco: – Pies nas może napaść. Bo samochód to raczej nie... Belzebub, przestań!

Kocur zignorował jej przemowę, wyraźnie przymierzając się do przeskoczenia furtki. Marylce stanęły przed oczami sztachety wbite w czarne aksamitne futerko i poczuła, jak ciarki przelatują jej po kręgosłupie.

– Nie wolno, kotku, bo sobie zrobisz krzyw... – Urwała, bo Belzebub całym jedenastokilogramowym ciałem uderzył o furtkę. Wydawał przy tym z siebie coś między basowym miauczeniem a warkotem i Marylka struchlała. „Matko jedyna – przemknęło jej przez głowę. – Zwariował. Świeże powietrze mu zaszkodziło. Co ja mam zrobić? Dlaczego akurat teraz Sławek musiał się zmyć? Rany boskie, poharata się o to żelastwo. Lada moment ktoś zadzwoni do straży miejskiej i doniesie, że dręczę kota... Cholera... No, dobrze. Spróbuję z nim wyjść na ulicę... Co się robi, jak pies napada kota?... Matko jedyna... Trudno. Będę go bronić własną piersią...".

– Już, kochany – powiedziała słabym głosem, przytrzymując rozszalałego kocura. – Już idziemy, nie denerwuj się. Mamusia mocno trzyma smycz. Idziemy na spacerek... No, chodź, skarbie. – Otworzyła furtkę ze strachem, kurczowo ściskając smycz. – Raz kozie śmierć. Idziemy. I nie daj Boże, żeby nas ktoś zaatakował, bo zabiję...

Belzebub wyskoczył na chodnik jak błyskawica i zatrzymał się raptownie. Marylka namacała w kieszeni dżinsów komórkę i trochę jej ulżyło. Tak całkiem bezbronna nie była. W razie czego mogła wezwać męskie wsparcie. Podniesiona na duchu powoli szła za kotem, który bez chwili wahania ruszył w prawo.

Minęli dom sąsiada „Proszęż, proszęż", jak go ochrzciła Lipska, a zaraz za budynkiem ukazał się prześwit pomiędzy posesjami. Była to niezbyt szeroka ścieżka, na której opony rowerów wyżłobiły koleiny, często używana przez mieszkańców uliczki, gdy chcieli skrócić sobie drogę.

Belzebub przyśpieszył. Marylka szła tędy po raz pierwszy. Zapomniała o strachu i agresywnych psach, bo doleciał ją zapach nagrzanych słońcem ziół.

– Kotuś, wolniej – łagodnie upomniała ulubieńca. – Inhaluj, malutki, inhaluj. W Lublinie o takim powietrzu mogłeś najwyżej pomarzyć... Kurczę, tam jest chyba jakaś łączka. – Lipska spojrzała ku końcowi ścieżki. – No, popatrz, już prawie rok tu mieszkamy, a nie miałam o niej pojęcia. Maminka też nic nie mówiła. Ciekawe, czy dałoby się tu zrobić piknik integracyjny... Nad czym tak dumasz? – Zatrzymała się, bo kocur przysiadł i zamiatając nerwowo ogonem, wbił wzrok w dorodną kępę pokrzyw porastających jeden z krańców niewielkiej łączki. – A, to chyba jednak czyjaś własność, bo ma rozmiary parceli... Szkoda... No, ale zagrodzone nie jest, widać, że ludzie tędy łażą, to chyba i my możemy. Powąchasz sobie kwiatuszki, Belzebub?

Kocur odwrócił głowę i obrzucił Marylkę pogardliwym spojrzeniem. Dlaczego dwunożni są aż tak potwornie upośledzeni? Jakim cudem udało im się przetrwać z takim niedorozwojem? Po co Natura dała im zmysły, jeśli w ogóle ich nie używają? I jeszcze pozwoliła, by podporządkowali sobie bardziej inteligentne gatunki? Kotów akurat nie, choć mają takie głupie złudzenia, ale to i tak dziwne, że wciąż jeszcze istnieją jako gatunek.

Kiedy powiał wiaterek z tej strony, Belzebub od razu wychwycił w nim nutę zapachu, który doskonale znał, i ulżyło mu. Najwyraźniej nocne znalezisko wciąż jest na miejscu. Teraz są prawie u źródła tej woni, a Marylka coś o kwiatuszkach bredzi. Nie ma wyjścia. No, dobrze. Pokaże tej ludzkiej niedojdzie, że nie pchał się tu dla kaprysu.

Wstał i powoli, statecznie poprowadził magister Lipską, uwięzioną na drugim końcu smyczy, ku pokrzywom.

– Kiciu, tam nie idź – próbowała go zniechęcić Marylka. – To parzy, wiesz? Nie wiem jak kotom, ale ludziom po tym bąble się robią i swędzą... Patrz, tam jest trawka. Może któraś ci posmakuje?

Belzebub zlekceważył głupie szczebioty i uparcie ciągnął ku parzącemu zielsku. Marylka westchnęła, ale posłusznie dreptała za nim. Kocur zatrzymał się jakiś metr przed chaszczami, usiadł i obejrzał się na swoją dwunożną towarzyszkę. Ta odwzajemniła mu się nic nierozumiejącym wzrokiem.

– Co ty z tymi pokrzywami...

Prześlizgnęła się spojrzeniem po kępie chwastów i nagle dojrzała wśród nich coś wściekle różowego. Okularów, jak zwykle, nie miała, więc nie bardzo widziała, co to może być. Jakiś materiał? Ktoś wyrzucił stare ciuchy? Dlaczego Belzebub tuli uszy i patrzy na nią z takim napięciem?

Przysunęła się bliżej i przykucnęła. I wtedy to zobaczyła. Spomiędzy pokrzyw wystawała dłoń z pomalowanymi na wściekły róż paznokciami.

Przez chwilę Marylka patrzyła na nią bezmyślnie, aż wreszcie w jej umyśle pojawił się ciąg skojarzeń. Nieruchoma damska ręka, parzące pokrzywy, Belzebub z wyraźną dumą łypiący na znalezisko... Cholera, już kiedyś zdarzyło się coś podobnego! Tylko zamiast sztywnej damy w roli głównej wystąpił sztywny kurhanek, a w rolach drugoplanowych, zamiast łąkowego zielska, domowe paprotki. Za to pupil Marylki był tak samo zadowolony jak teraz... Jezus, Maria, trup! Belzebub przyprowadził ją do trupa! Co robić?! Chyba wiać, bo co będzie, jeśli tym razem policja uzna, że to on jest winien?!

Poderwała się na równe nogi i odskoczyła gwałtownie. Belzebub przypatrywał się jej z kamiennym spokojem.

– Kiciu, co my teraz zrobimy? – jęknęła dramatycznie. – Oboje pójdziemy siedzieć? Cholera, w tym miasteczku mieszka tyle ludzi, dlaczego to zawsze musi na nas trafiać? Matko Boska, ślady... Jakieś pewnie zostawiliśmy... Co ro... Sławek! Komórka! Muszę zadzwonić!... Sławuś, odbierz, kochany! – Marylka niecierpliwie przestępowała z nogi na nogę, trzymając telefon przy uchu. – Dzięki Bogu! Sławek! Belzebub znalazł trupa!

Usłyszała dźwięk, jakby mąż się zachłysnął, a potem ściszony głos:

– Poczekaj, wyjdę ze sklepu... Nie, nie, proszę pani, zaraz wrócę. Mam pilny telefon... Jestem w ogrodniczym, dobrze, że nie w markecie przy kasie, boby mnie zabili... Gdzie ten trup? U nas w ogródku? Belzebub go znalazł czy ubił osobiście?... Karrtofelki niekopane, jaki trup?! Znajomy?!

– Nie – wyszlochała Marylka, której na dźwięk głosu ukochanego małżonka puściły nerwy. – To znaczy: chyba nie, bo widziałam tylko rękę... Pazury ma pomalowane i coś różowego na sobie, to pewnie baba... – Wzięła głęboki oddech i opowiedziała o okolicznościach znalezienia nieboszczki. – Sławciu, ja się boję, że oni Belzebuba… Co mam teraz zrobić? Bo sterczę tu jak kołek. Może… – ściszyła konspiracyjnie głos – …może powinniśmy stąd zwiać?

– Zwiać? O Jezu… Czekaj, niech pomyślę… Nie ruszaj się stamtąd! Ślady jakieś na pewno zostały, odkryją obecność kota i od razu pomyślą o Belzebubie. A jak o nim, to i o nas… Zaraz! Zapłacę tylko w sklepie i pogadam z tym policjantem, co wtedy u nas… Wiem, gdzie mieszka… Nie! Czekaj! Gdzieś mam chyba numer do niego. Wytrzymaj, kochana, już dzwonię!

Kiedy Sławek się rozłączył, Marylka westchnęła ciężko i ponuro spojrzała na siedzącego spokojnie Belzebuba.

– Musiałeś się pchać akurat tutaj? – mruknęła rozżalona. – Znowu się będą nas czepiać… Oj, kotuś, kotuś, że też to na nas trafiło… No, nic. Nie martw się. Nie pozwolę zrobić ci krzywdy… Żeby tylko szybko przyjechali, bo to żadna przyjemność tak tu sterczeć… Aha, kiciu kochany, tu zaraz może się zrobić spore zgromadzenie. – Uniosła ostrzegawczo palec. – Pamiętaj, że nie wolno na nikogo polować. Bo jak kogoś uszkodzisz, to już na pewno nas wsadzą.

Belzebub obrzucił ją pogardliwym spojrzeniem i ziewnął znudzony. Nie interesowały go rozterki Marylki. Swoje zrobił i nie widział powodu, żeby przejmować się resztą. Atakować nikogo nie zamierzał, bo to w końcu nie jego teren i nie musi o niego dbać. Ale słodkiego kiciusia też nie miał zamiaru z siebie robić. Jeśli komuś obcemu przyjdzie do głowy, żeby się z nim spoufalać, da mu do zrozumienia, że sobie tego nie życzy. Wystarczy, że warknie i pokaże kły. Jedyną osobą spoza jego stada, którą nie tylko tolerował, ale i wręcz uwielbiał, była Marta Artymowicz. No, ale ona należała do tych nielicznych dwunożnych, którzy potrafili się porozumieć z każdym zwierzakiem, a kiedy go głaskała, ogarniał go błogostan. Pozostałą część ludzkości zamierzał trzymać na dystans.

Pierwszy pojawił się na miejscu zbrodni Łukasz Szczęsny. Telefon Lipskiego zastał go w domu. Policjant miał wolną sobotę i właśnie się przymierzał do tematycznego posegregowania zdjęć, które zebrał w komputerze. Choć praca w policji dawała mu satysfakcję, nie przestał marzyć o albumie lub wystawie własnych prac. Wydanie albumu chwilowo było nieosiągalne, ale Luka namówiła go, by uzgodnił możliwość wystawienia fotografii w kraśnickiej bibliotece, która chętnie użyczała swojego metrażu na miniwystawy rodzimych artystów wszelkiego rodzaju.

Wiadomość od Lipskiego natychmiast oderwała Łukasza od planów osobistych. Szybko ustalił miejsce, w którym karnie tkwiła Marylka, zadzwonił do sierżanta Skotnickiego, uzupełniającego akurat zaległe papiery, podał mu namiary i kazał przyjechać z ekipą. Już idąc na miejsce zgłoszenia, na wszelki wypadek powiadomił Jerczyka, który również spędzał sobotę na łonie rodziny.

Kiedy skręcił w lukę pomiędzy domami, dojrzał sterczącą jak kamień Lipską, a obok niej wielkiego czarnego kota. Na widok znajomego policjanta Marylka złożyła ręce jak do modlitwy i żarliwie jęknęła:

– Przysięgam, że tym razem to nie Belzebub! On mnie tu przyprowadził, ale nic nie zrobił!

– Spokojnie, pani Marylo. – Szczęsny się uśmiechnął. – Nasz patolog to fachowiec. Powie nam, jak zginęła ofiara... Mąż mówił przez telefon, że to kobieta. Zna ją pani?

– Nie! – Marylka gwałtownie pokręciła głową. – To znaczy... Nie mam pojęcia, czy znam, bo na widok ręki zrezygnowałam z oglądania reszty. No i śladów nie chciałam zadeptać... Wie pan, ja tu w zasadzie znam niewiele osób i raczej z widzenia...

– Bardzo dobrze, że pani zrezygnowała. – Łukasz na wszelki wypadek obszedł Belzebuba szerokim łukiem i zbliżył się do kępy pokrzyw. Rozejrzał się wokoło. – Ciało podrzucono. Nie zginęła w tym miejscu...

– Skąd pan wie? – zapytała nieufnie Marylka.

– Widzi pani te ślady na trawie? Połamane rośliny? Ktoś przeciągnął ciało na tę łączkę i wepchnął w pokrzywy. – Obszedł teren dookoła i wrócił zdegustowany. – Mógł tu przyjść albo przyjechać z każdej strony. Tam – machnął ręką – jest wąski chodnik i jezdnia, a do tej parceli prowadzi kawałek żużlówki. Czasem na nim parkują dostawcy szklarza, bo bezpieczniej, kiedy szyby przenoszą, a czasem klienci. Od strony naszej ulicy zabójca raczej się nie pchał. Musiałby lecieć z nieboszczką obok zamieszkanych posesji. Ktoś mógłby go przyuważyć. A tam pusto, bo domy są dalej, a przy żużlówce tylko dwa zakłady usługowe, zamknięte od osiemnastej. Będziemy mieli zagwozdkę... No, nic. Może identyfikacja ofiary coś nam da. O ile ma przy sobie...

Urwał, bo przy prześwicie między domami z piskiem opon zahamował nieoznakowany samochód, a za nim radiowóz z ekipą techniczną i karetka do przewozu zwłok. Spojrzał na Marylkę, której błysnęły oczy na ten widok, a potem na jeżącego futro Belzebuba i po namyśle polecił:

– Pani Marylo, proszę wziąć kota i wracać do domu. Ktoś od nas do państwa wpadnie i spisze zeznania. Musimy szybko działać, bo zaraz tu się zrobi zbiegowisko...

– Ale ja... – Marylka zamierzała protestować, bo nigdy jeszcze nie była naocznym świadkiem działania policji na miejscu zbrodni, jednak warkot Belzebuba, który dojrzał sierżanta Skotnickiego, skłonił ją do uległości. – To idziemy – powiedziała z wyraźnym żalem, na wszelki wypadek biorąc kocura na ręce. – Poczekam na panów w domu.

Z Belzebubem w objęciach pośpiesznie przemknęła obok Tadzia, dotarła do ulicy, obejrzała się raz jeszcze, postawiła pupila na chodniku i oboje ruszyli ku domowi.

– Jerczyk zaraz będzie – oznajmił sierżant na powitanie. – Werner do niego dzwonił, jak tylko mu powiedziałem, że mamy zabójstwo.

– Ja też dzwoniłem – mruknął Szczęsny. – Brożek jest?

– Już idzie. Zły, bo miał nadzieję, że dyżur mu minie bezproblemowo...

– Najpierw wy, chłopaki. – Łukasz usunął się na bok i przepuścił techników, którzy od razu zabrali się do pracy.

Obaj z Tadziem zaczęli grodzić teren policyjną taśmą, by uniemożliwić ewentualnym ciekawskim zadeptanie śladów. W tym czasie naburmuszony patolog zdążył dotrzeć do parceli. Nie przywitał się, tylko skrzywił paskudnie, znalazł jakiś polny kamień większych rozmiarów, usiadł na nim ciężko i czekał na swoją kolej.

Przy pokrzywach szalał policyjny fotograf, a kiedy Szczęsny polecił mu, by udokumentował pozostawiony przez ciało ślad na łące, do nieboszczki podeszło dwóch techników, którzy również nie wyglądali na szczęśliwych.

– Godzina mi została – oświadczył ze złością siedzący na kamieniu doktor Brożek i obdarzył obu policjantów ponurym spojrzeniem. – Nie mogliście trochę poczekać? Miałem w planach grilla…

– Grill ci nie ucieknie, Kaziu – rozległ się nad nim głos prokuratora Jerczyka, który właśnie dobił do swoich ulubionych współpracowników. – Cześć, chłopaki.

– Nieboszczyk też nie – warknął nieprzyjaźnie doktor.

– Nieboszczyk jednak ciepła nie lubi… Nie jęcz, doktorku. Też miałem plany. Rodzinny brydżyk mi się kroił…

– Z Amą? – Szczęsny parsknął śmiechem. – To ci się upiekło, Krzysiu. Jeszcze trochę pożyjesz.

– Nic mi nie wiadomo, żeby brydż był aż tak niebezpieczny. – Patolog zapomniał o urazie i spojrzał pytająco na Jerczyka.

– W zasadzie nie jest – przyznał prokurator. – Chyba że – uniósł ostrzegawczo palec – gra się z teściem przeciwko żonie i teściowej.

Brożek nie wytrzymał i zarechotał basem. Temperament Sabiny Rozbickiej był znany w Kraśniku, a wszyscy też doskonale wiedzieli, że Ama wdała się pod tym względem w matkę. Obie tak samo nie znosiły przegrywać.

– Łukasz! – Usłyszeli głos jednego z techników. – Znaleźliśmy torebkę! Różowa jak peerelowskie gacie, to chyba denatki. Kolorystycznie pasuje.

– Jest nadzieja na identyfikację – mruknął Jerczyk.

– Chyba że ją obrobili. – Tadzio był sceptyczny.

– Długo jeszcze? – Brożek wstał i wymownie popatrzył na ekipę techniczną.

– Chwila i będzie pana – obiecał jeden z policjantów. – Założyć jej torebki, doktorze?

– Załóżcie. Może coś znajdę pod paznokciami... – Odwrócił się do Jerczyka. – To w sumie miałeś fart, że ci się upiekło. Ja wnukom obiecałem diabelskie żeberka, a tu klops – powiedział i westchnął boleśnie.

– Też mięso – wyrwało się Tadziowi, czym zasłużył na ponure spojrzenie patologa. – To ja tego... Jak już zdjęcia zrobili, zobaczę te gacie... Torebkę zobaczę, znaczy... – I odszedł pośpiesznie ku technikom.

– Udar? – zapytał uszczypliwie Brożek. – Aż tak gorąco jeszcze nie jest.

– Młodość, Kaziu – sprostował prokurator. – Daj chłopakowi spokój. Dziś sobota, a on zamiast gdzieś się w plenery z panną wyrwać, w robocie siedzi...

– No, dosyć tych rozmówek towarzyskich. – Szczęsny obejrzał się ku wylotowi ścieżki. Pojawili się na niej pierwsi ciekawscy ściągnięci widokiem stojącego na ulicy radiowozu. – Sępy nadlatują. Do roboty, panowie.

Komisarz Werner, nowy komendant kraśnickiej policji, był doświadczonym gliniarzem, który doskonale znał się na ludziach. Po objęciu stanowiska w prowincjonalnym miasteczku zrobił szybki, acz wnikliwy przegląd swoich podwładnych i uznał, że największą pociechę będzie miał z aspiranta Szczęsnego oraz sierżanta Skotnickiego. Współpraca z prokuraturą układała się różnie, ale Krzysztof Jerczyk zdobył uznanie komisarza. Werner miał świadomość, że ta trójka świetnie się ze sobą dogaduje i wspólnie osiąga niezłe rezultaty.

Patrzył teraz na swoich dwóch współpracowników siedzących w jego gabinecie i doskonale zdawał sobie sprawę z tego, że są spięci. Poprzedni komendant nigdy nie ingerował w prowadzone sprawy. Chyba że naciskali go lokalni decydenci. Zwykle z dwóch powodów – gdy nie życzyli sobie, by ich nazwisko wypłynęło w śledztwie, lub kiedy to oni sami odczuli skutki czyjegoś występku. Werner znał tę małomiasteczkową mentalność, a o byłym komendancie wiedział więcej, niż tamten sobie wyobrażał.

– Spokojnie, chłopcy – powiedział przyjaźnie, stawiając na stole konferencyjnym butelki zimnej wody mineralnej i szklanki. – Nie wezwałem was na dywanik, tylko chcę wiedzieć, co już ustaliliście w sprawie tej denatki z domków. Może coś wam podpowiem.

Łukasz i Tadzio spojrzeli na siebie i nieco się rozluźnili. Porządki zaprowadzone przez nowego szefa w zasadzie im się podobały, ale jeszcze nie do końca wiedzieli, czego się po nim spodziewać. Poprzedni komendant życzył sobie pisemnych raportów; teraz mieli po raz pierwszy osobiście zdawać relację z prowadzonej sprawy i nie byli pewni, jak wypadną w oczach komisarza.

– Denatka nazywała się Otylia Gburek... – zaczął Szczęsny.

– Jak?! – przerwał z niedowierzaniem Werner. – To żart?!

– Nie, sze... panie komisarzu – włączył się pośpiesznie Tadzio. – Gburek to po mężu. Z domu nazywała się Straszek.

Werner nie wytrzymał i parsknął śmiechem.

– Przepraszam, jeśli poczuliście się lokalnie urażeni. – Komendant opanował wesołość, ale w jego oczach wciąż tliło się rozbawienie. – Różne ksywy i nazwiska już słyszałem, ale taki zestaw trafił mi się po raz pierwszy w życiu... – Odetchnął głęboko i poprosił: – Kontynuujcie, chłopcy.

Zanim Szczęsny zdążył otworzyć usta, sierżant Skotnicki z miną niewiniątka oświadczył:

– My to nie bardzo, sz... panie komisarzu, poczuwamy się do lokalnej urazy. Bo te Gburki to z Warszawy przyjechały na prowincję.

W gabinecie zapadła cisza. Łukasz miał szczerą ochotę kopnąć niepokornego kolegę w kostkę, ale ten siedział za daleko. Już miał zasypać Wernera wiadomościami, które udało im się zebrać, by zagadać Tadziowy wyskok, kiedy komisarz uśmiechnął się szeroko i powiedział:

– Należało mi się. – Nalał sobie wody i z powagą spojrzał na swoich podkomendnych. – Nie czuję się lepszy, bo przyjechałem do was z Warszawy. Lubię ludzi, którzy mówią to, co myślą. I lubię swoją robotę, choć czasem jest paskudna. Ciężko wysiedzieć za biurkiem, kiedy przez tyle lat działało się w terenie. Ale jestem tu po to, żebyście mogli skorzystać z mojego doświadczenia, chłopcy. Jeśli wam się do czegoś przyda, to znaczy, że było warto za tym biurkiem siedzieć… A teraz mówcie. Skąd ta Gburek się tu wzięła?

– To może od początku… – Szczęsny wziął głęboki oddech i zaczął mówić: – Pod ciałem leżała torebka denatki, a w niej dokumenty. Rzeczywiście nazywała się Otylia Gburek, adres w dowodzie – warszawski. Sprawdziliśmy w bazie, nie była notowana. W jej torebce znaleźliśmy również komórkę. Spisaliśmy numery, które w niej były, i zaczęliśmy dzwonić, aż trafiliśmy na męża. Jest architektem i przyjechał do Kraśnika, ponieważ dostał tu zlecenie…

– Od kogo? – zainteresował się Werner.

– Od wiceburmistrza Kroczka. Ten Gburek jeździ po całej Polsce, bo go sobie nowobogaccy polecają – kontynuował Szczęsny. – Zwykle sam, ale tym razem żona się uparła, że też chce.

– Podała jakiś konkretny powód?

– Chyba po prostu się nudziła. Gburkowie byli bezdzietni i dobrze sytuowani. Pewnie…

– Jakby się nudziła, pojechałaby do spa tyłek moczyć. – Tadzio nie wytrzymał. – Po mojemu to ona chciała sobie i chłopu chody wyrobić. Podobno nasz Kroczek lada moment wskoczy do Sejmu, bo im się wakat zrobił.

– Tadziu… – Łukasz spojrzał na kolegę z naganą.

– Nie lubisz Kroczka, sierżancie. Masz powody? – Komisarz wbił w Skotnickiego przenikliwy wzrok.

– A jest ktoś, kto go lubi? – odpowiedział zdziwiony Tadzio. – Pewnie, że mam! Już dawno powinien siedzieć!

– Tadek! – przywołał go do porządku Szczęsny. – Kroczek nie ma z tym zabójstwem nic wspólnego! Odpuść sobie na razie i zajmij się sprawą!... Przyjechali na tydzień. Zatrzymali się w tym motelu przy wjeździe do Kraśnika, ale Gburek większość czasu spędzał z Kroczkiem, a Gburkowa latała po sklepach, bo nasze prowincjonalne ceny ją zachwyciły. Kupę kasy wydała podobno w salonie jubilerskim. Sprawdziliśmy już. Zapamiętali ją, bo dawno nie mieli takiej klientki.

– Biżuteria nie zginęła?

– To były wcześniejsze zakupy, panie komisarzu. W torebce znaleźliśmy kwit z zakładu szklarskiego. Też sprawdziliśmy, przyniosła do oprawy akwarelkę. Właściciel od razu wyczuł, że klientka nietutejsza, i podał wyższą cenę za usługę, a ona bez słowa zapłaciła. Przy okazji pytała, czy w Kraśniku jest dobry szewc, bo kupiła na ciuchach markowe buty za grosze, ale obcasy do wymiany. Szklarz jej polecił swojego sąsiada. Tego na razie nie mogliśmy sprawdzić, bo warsztat był zamknięty.

– Co mówi doktor?

– Zginęła poprzedniego dnia między czternastą a siedemnastą.

– Czyli została zamordowana w biały dzień i nikt nic nie widział? – upewnił się komendant. – Co nam to mówi?

– Nic – palnął Tadzio bez namysłu, nim Łukasz zdążył go powstrzymać. – Została uduszona gdzieś niedaleko miejsca, w którym ją znaleziono. Ciało było przeciągane, bo na obcasach są ślady ze żwirówki i ziemia z tej łączki. Mógł ją utłuc każdy. Może ją przyuważył jakiś kraśnicki amator cudzej własności? Te różowości nieźle waliły po oczach...

– Nie okradli jej – przypomniał Werner.

– Fakt – przyznał nieco rozżalonym głosem sierżant Skotnicki i westchnął.

– Ślady gwałtu?

– Nie. – Tadzio pokręcił głową. – I nie broniła się, bo doktor nic nie znalazł pod paznokciami. Musiał ją zaskoczyć.

– Jutro rano jesteśmy umówieni z prokuratorem Jerczykiem – powiedział Szczęsny. – Zbierzemy wszystko, co wiemy, i może coś... A może ta Gburkowa naraziła się komuś w Warszawie?

– Sprawdzę – obiecał Werner. – Wciąż mam tam niezłe kontakty. Dam znać, jeśli czegoś się dowiem... No, dobrze, chłopcy. Do roboty. Gdybyście uznali, że mogę wam się przydać, przychodźcie bez ceregieli...

Kiedy obaj policjanci wyszli z gabinetu, Szczęsny złapał sierżanta za ramię i zniżając głos, powiedział ostro:

– Tadziu, ugryź się w język, zanim coś palniesz, albo policz do dziesięciu. Jerczyk i ja przywykliśmy, ale ktoś inny może ci się przysłużyć inaczej, niżbyś chciał.

– Przynajmniej wiem, że wreszcie dostaliśmy fajnego szefa – odparł niepokorny kolega i uśmiechnął się szeroko. – Tak to lubię pracować. Mamy zielone światło i pomoc w razie czego.

– Całe osiedle domków składa się z małych uliczek, które w zasadzie pełnią głównie funkcję dojazdówek. – Prokurator Jerczyk nie odrywał oczu od rozłożonego na ławie planu Kraśnika. – Zobacz, Łukasz – dotknął palcem miejsca, gdzie znalezione zostały zwłoki Gburkowej – parcele tworzą kwartały w kształcie prostokątów. Każdy kwartał zabudowany jest dwoma rzędami domków stojących tyłem do siebie, a frontem do uliczek. Do tej łączki jest dojście od Cichej i od Sienkiewicza. Jak myślisz…

– Od Słowackiego też – przerwał mu Szczęsny, przyglądając się mapce. – Wystarczy skręcić w Miedzianą i wyjechać na Cichą.

– Kombinujesz. – Jerczyk westchnął. – Ostatni raz widziano ją na Cichej u szklarza. Albo u szewca. Rozmawialiście z nim?

– Tadzio go przepytuje, dlatego przyszedłem sam… Nie kombinuję, tylko wolałbym wziąć pod uwagę każdy możliwy wariant. – Szczęsny westchnął ciężko. – Najbardziej mnie wkurza, że nie przychodzi mi do głowy żaden motyw. Widziałeś raport z sekcji. Nikt się z nią nie szarpał, żadnych śladów napaści na tle seksualnym nie ma. Wygląda tak, jakby ktoś po prostu podszedł i ją udusił. Nie broniła się w ogóle. Nie wydaje ci się to dziwne?… No, dobra. – Policjant wyprostował się i spojrzał na prokuratora. – Brożek podał przyczynę i określił przybliżony czas. Wychodzi na to, że zginęła, kiedy było zupełnie jasno. Na ulicy? W biały dzień? I nikt tego nie zauważył? Przecież zabójca nie zostawił zwłok na widoku. Musiał je przeciągnąć z drogi na łąkę. Nie było żadnego świadka? – Łukasz jęknął sfrustrowany. – Cholera, tak ni z tego, ni z owego wymyślił sobie, że udusi kobietę, bo mu się z urody nie spodobała?

– Niekoniecznie. Mógł ją wypatrzeć wcześniej i iść za...

– Mąż po okazaniu powiedział, że nic nie zginęło! – przerwał Szczęsny. – Kradzież jako motyw odpada!

– Cholera. – Jerczyk obrzucił go mało przyjaznym wzrokiem. – Gdyby zginęła na tej łączce, można by przyjąć, że ktoś go wypłoszył i nie zdążył... Ona tu miała jakichś znajomych, ta Gburkowa?

– Poza Kroczkami? – Szczęsny pokręcił głową. – Podobno nie. Gburek w ogóle chciał do Kraśnika przyjechać sam, bo mu żona do niczego nie była potrzebna, ale ona się uparła. Jakaś psiapsiółka wmówiła jej, że na prowincji, a do tego w Polsce B, można się za grosze obkupić po pachy. Z początku Kroczek planował, że zakwateruje architekta na tydzień u siebie, ale kiedy ten zapowiedział przyjazd z małżonką...

– Mieszkam tu wystarczająco długo, żeby sobie resztę dośpiewać. – Prokurator się skrzywił. – Kroczkowa bywa w salonie Amy. Co prawda moja żona nie znosi pani wiceburmistrzowej, ale na razie skutecznie się powstrzymuje od rękoczynów, choć wczoraj mi się przyznała, że ręce ją swędzą, by na drzwiach powiesić dodatkową wywieszkę...

– Jaką? – W oczach Szczęsnego błysnęło rozbawienie; doskonale znał możliwości Anny Marii Jerczyk, z domu Rozbickiej.

– Coś w stylu: „Przyjmuję tylko osoby kulturalne, które szanują mój czas i nie zawracają mi głowy pierdołami.

Wszystkie pozostałe grzecznie proszę: won!". – Jerczyk zignorował parsknięcie kolegi i westchnął. – To tylko kwestia czasu, kiedy Ama wystrzeli z czymś takim. Po ostatniej wizycie Kroczkowej chyba z godzinę spędziła przy moim biurku i zużyła mi masę papieru do drukarki, żeby odreagować. Wielkimi wołami pisała właśnie to, co ci przytoczyłem. A jaką miała przy tym rozanieloną minę…

– Nie przejmuj się. – Łukasz pocieszająco klepnął go w ramię. – Jej matka jest prawnikiem. W razie czego będzie jej bronić. Stawiam sto do jednego, że rozniosłaby pięć takich Kroczkowych w każdym sądzie.

– Nie będę się zakładał o możliwości mojej teściowej. – Krzysztof wyraźnie się wzdrygnął. – Ale, czekaj… Zacząłem o Amie, bo kilka dni temu Kroczkowa u niej narzekała, że jakaś damulka z Warszawy wykombinowała sobie, że się u nich zagnieździ na tydzień. I była wściekła, bo przeprowadziła rozpoznanie, dowiedziała się, że to sporo od niej młodszy model, a że Kroczek lada moment bryknie do stolicy jako poseł, nie zamierzała ryzykować. Wymogła na mężu, że wynajmie warszawiakom pokój w pensjonacie i będzie się kontaktował wyłącznie z architektem, a babę omijał szerokim łukiem. W efekcie Gburek oddał swój samochód do dyspozycji żonie, a jego woził szofer wiceburmistrza.

– Rozumiem, że służbowym? – zainteresował się Szczęsny.

– No, co ci poradzę, że ci na stołkach uważają, że wszystko im wolno? – Krzysztof westchnął. – Przykład idzie z samej góry…

– Zaraz, ale samochodu nigdzie…

– Bo akurat wtedy wice miał jakieś spotkanie na wyjeź-dzie i Gburek musiał jeździć swoim. Jego żona skorzystała z komunikacji miejskiej. Czytałeś raport, w torebce miała skasowany bilet... Wiesz, gdyby nie to, że miałem nieprzy-jemność raz w życiu zetknąć się z Kroczkową, zastanawiał-bym się, czy to ona przypadkiem nie sprzątnęła rywalki. Ale to uduszenie mi do niej nie pasuje. Prędzej by ją oskalpowała.

– Albo wynajęła kogoś innego, żeby ją wyręczył – mruk-nął Łukasz z krzywym uśmieszkiem.

– Albo. Ama uważa, że ona z dużą przyjemnością i satys-fakcją systematycznie dokopywałaby konkurencji w każdej możliwej dziedzinie, ale pilnowałaby, żeby wróg został przy życiu.

– To samo usłyszałem kiedyś od Kamy, szefowej mojej żony – powiedział Szczęsny i westchnął. – No, dobra. To o Kroczkowej możemy zapomnieć. Na razie nawet nie ma-rzę o podejrzanym. Próbuję zrozumieć, dlaczego Gburkową zamordowano. I wiesz co? Nic mi nie przychodzi do głowy.

– A nie mogło być tak, że morderca chciał ją okraść albo zgwałcić, a ktoś go spłoszył? – podsunął Jerczyk z nadzieją w głosie.

– I zaczął od ukatrupienia ofiary? Uważasz, że to ne-krofil? – Łukasz przecząco pokręcił głową. – Zapomnij, Krzysiu. Gdyby ją ogłuszył, mógłbym się z tobą zgodzić, ale wygląda na to, że po prostu podszedł i ją udusił... Nie rozumiem tego. Stałbyś jak kołek, gdyby ktoś wyciągał ręce do twojej szyi? To po pierwsze. Po drugie, złodziej zabrał-by torebkę albo jej zawartość, a nic nie zginęło. Po trzecie, jeśli byłoby to zaplanowane zabójstwo, to porzuciłby ofiarę bez dokumentów, żeby nam utrudnić dochodzenie. Nie pochodziła z Kraśnika, nikt jej tu nie znał. Pewnie zidentyfikowalibyśmy ją dopiero wtedy, gdy mąż zgłosiłby zaginięcie... Wiesz, czego się najbardziej boję? – Szczęsny spojrzał na prokuratora ponuro. – Że do morderstwa doszło przypadkiem i nigdy nie wyjaśnimy tej sprawy. I nie dość że będzie mnie to gryzło, to jeszcze damy plamę przed tym asem z Warszawy... Gdybym tylko znał ten cholerny motyw!

W tym momencie pani Basia, sekretarka Jerczyka, stanęła w drzwiach i oznajmiła:

– Panie prokuratorze, przyszedł sierżant Skotnicki.

– Wreszcie! Niech wchodzi! I kawę poproszę, pani Basiu. Dzbanek od razu, bo czeka nas chyba długa nasiadówka.

Tadzio energicznie wmaszerował do gabinetu, ale minę miał nietęgą. Przywitał się z pozostałą dwójką i klapnął ciężko na fotel.

– Rozmawiałeś z tym szewcem? – zapytał niecierpliwie Szczęsny. – Była u niego?

– Zaraz! Muszę się napić, bo mi w gardle zaschło. – Sierżant sięgnął po butelkę mineralnej i nie zawracając sobie głowy stojącą obok szklanką, opróżnił ją duszkiem. – Rozmawiałem – sapnął gniewnie. – Kurka flaczek, co to za ofiara losu! – Wyjął z kieszeni notes i zajrzał w swoje zapiski. – Wczoraj go nie zastaliśmy, bo pojechał pod Lublin do garbarni. Sprawdziłem. Gburkowa u niego była w dniu zabójstwa. Nie umiał powiedzieć, która była godzina, ale na pewno przed piętnastą, bo wtedy robi sobie przerwę na posiłek. Przyniosła buty z odzysku. Obcasy były do wymiany. Zrobił jej to od ręki, bo się wzruszył. Takie same buty miała jego świętej pamięci żona. Pokazałem mu zdjęcie. Potwierdził, że to jego robota. Ale na bardzo przejętego mi nie wyglądał.

– Ludzie są różni. – Łukasz wzruszył ramionami. – Widział ją raz w życiu, to co miał się przejmować? To samotnik. Wdowiec. Jak ten szklarz obok.

– Ale tamten przynajmniej sprawiał wrażenie przejętego, kiedy mu pokazywaliśmy zdjęcie! – burknął sierżant ze złością. – A z tego szewca każde słowo musiałem wyduszać.

– Bo on w ogóle małomówny jest. Taki typ, nie poradzisz…

– I jeszcze te nazwiska! – syknął Tadzio z irytacją. – Jeden nazywa się Kopytko, a drugi Szklarski! Wkurzają mnie obaj!

– Pasuje im do zawodów! – Prokurator się roześmiał.

– G… guzik im pasuje! – warknął Skotnicki. – Kopytko to ten szklarz, a Szklarski to szewc!

– Tadziu, co cię dzisiaj ugryzło? – Szczęsny z uwagą spojrzał na podwładnego. – Nie tą nogą wstałeś czy panna cię do wiatru wystawiła?

Sierżant przez chwilę milczał, wysapując z siebie resztki złości, po czym wyznał ponuro:

– Zaczynam się bać. To nasza pierwsza poważna sprawa przy nowym szefie. Jak damy ciała, będzie wstyd na całą wieś. Głupio się skompromitować przed gliną ze stolicy. Pomyśli, że jesteśmy prowincjonalne ciamajdy. A, jak na złość, nie ma żadnego tropu, za którym moglibyśmy pójść! Werner sprawdził tę Gburkową. Baba miała na koncie ledwo parę punktów karnych za przekroczenie dozwolonej prędkości.

– Powoli, Tadziu – pocieszył go Jerczyk. – Dopiero zaczynamy śledztwo. Już i tak sporo zrobiliście. Dzięki świadkom wiemy, co robiła i gdzie była przed śmiercią. Poczekamy na raport z laboratorium. Na razie możemy zrobić tylko jedno: pochodźcie, chłopaki, po kraśnickich sklepach, pokażcie to zdjęcie, które dał wam Gburek, i popytajcie. Może ktoś coś zapamiętał…

– No to już chyba możemy przyjąć za pewnik, że ciało Gburkowej zostało przemieszczone od strony Cichej – oświadczył Jerczyk, spoglądając na swoich dwóch ulubionych współpracowników czytających w skupieniu raport z laboratorium.

– Możemy – zgodził się Szczęsny i westchnął. – Ale ta konkluzja w niczym nam nie pomoże. Zabójca musiał przeciągnąć ciało po tej żwirówce pomiędzy warsztatami. Wskazują na to ślady na ubraniu denatki. Ale wciąż nie mamy nawet cienia motywu.

– A może zobaczyła coś, czego nie powinna, i zawróciła, żeby się upewnić? – podsunął prokurator i zdecydował: – Chłopaki, pogadajcie jeszcze raz z właścicielami obu warsztatów. Tak na wszelki wypadek. Obaj byli ostatnimi osobami, które widziały Gburkową żywą. Poza mordercą. I rozejrzyjcie się uważnie.

– A jeśli nic nie znajdziemy? To małe miasteczko. Ludzie zaczną gadać, a Kopytko i Szklarski mogą nieźle dostać po kieszeni – powiedział Łukasz ostrzegawczo.

– E tam... – Sierżant Skotnicki machnął lekceważąco ręką. – Jak znam życie i tutejsze plotkary, klienci będą się do nich pchali drzwiami i oknami. Żeby mieć najświeższe informacje. O ile któregoś nie zapuszkujemy – uściślił i dodał: – Dobrze by było jeszcze zrobić przeszukanie. Do poniedziałku zdążyliby sobie chłopy posprzątać.

– No, no! – Jerczyk pogroził mu palcem. – Tylko bez szaleństw, Tadziu. Macie szukać ewentualnych śladów pobytu nieboszczki, a nie szpiegowskich skrytek.

– Szkoda, że nie możemy liczyć na ślady krwi. – Niepoprawny sierżant zignorował ostrzeżenie. – Kupiłem sobie na Allegro fajną latareczkę fluorescencyjną. Jak w tych amerykańskich *C.S.I.* Pisali, że nawet stare plamy można zobaczyć. Ciekawy jestem, czy rzeczywiście działa.

– To nie Ameryka i nie plan filmowy – uciął Szczęsny, wstając. – Wracaj do kraju, Tadziu. Mamy robotę.

– W tym Kraśniku to jednak dziwne rzeczy się dzieją – powiedziała Marylka, siedząc na ławce przed domem i nie spuszczając oka z Belzebuba, który na długiej smyczy zwiedzał ogrodowe zakamarki. W tej chwili całą swoją uwagę poświęcił świeżo przekopanej grządce, po której pełzały rozmaite robaczki, budzące jego żywe zainteresowanie. – Tematem numer jeden jest ostatnio ta nieboszczka, którą odkrył Belzebub.

– A cóż w tym dziwnego? – Siedzący obok Sławek wzruszył ramionami, podziwiając zachód słońca, którego w Lublinie, z uwagi na upiornie pracowity tryb życia, nie miał możliwości zbyt często oglądać. – Ostatecznie niecodziennie znajduje się tu w plenerze kobietę ze stolicy.

– Mnie nie dziwi fakt, że ludzie o tym paplają. Mnie dziwią te głupoty, które wygadują – wyjaśniła Marylka. – Widzę w tym mieście duży potencjał literacki. Wyobraźnia szaleje. Gdyby tak jeszcze pisać potrafili, Kraśnik byłby sławny jak Amityville.

– Nie przesadzasz?

– Niestety, nie. Gdybym na własne oczy nie widziała zwłok na tej cholernej łączce i nie rozmawiała z tym policjantem z naszej ulicy, pewnie uwierzyłabym w te bajdy. – Marylka czujnie spojrzała na Belzebuba, który właśnie przystąpił do osobistych prac ogrodniczych: z zapałem zaczął kopać dołek na wyrównanej przez Sławka grządce. – Damska kończyna wystająca z tych pokrzyw była zadbana i miała profesjonalnie pomalowane pazury, mogę to przysiąc przed każdym sądem. Gęby nie widziałam, ale kałuża krwi raczej rzuciłaby mi się w oczy. Ten Szczęsny mówił, że nieboszczkę uduszono. A prześliczna Ida wspomniała dzisiaj, że jej matka opowiadała, że stara Majewska opowia...

– Rany, Marylka! – jęknął Sławek. – Nie żądaj ode mnie, żebym załapał, co kto komu opowiadał! Może przejdź od razu do źródła, co?

Jego żona przez chwilę rozważała, czy powinna nadąć się urazą i wprowadzić od razu domową ciszę bojową, ale miłosiernie uznała, że męski mózg po prostu nie przyswaja takiej ilości informacji jak kobiecy i należy mu oszczędzać nadmiaru wiedzy, bo może być nieszczęście.

— Stara Majewska rozpuściła plotkę, że nieboszczka została zamłotkowana przez jakiegoś tutejszego sadystę, który dostał amoku, bo nie znosi warszawiaków – powiedziała powoli i wyraźnie, kątem oka obserwując, jak Belzebub przymierza się do użyźniania Sławkowej grządki. – Gdybym nie wiedziała, jak to naprawdę wyglądało, pewnie sama zaczęłabym nosić ze sobą młotek jako oręż. Ona bardzo plastycznie opowiada.

— Mam nadzieję, że nie przyznałaś się, że to ty ją znalazłaś? – Lipski oderwał się od kontemplacji zachodu słońca i niespokojnie spojrzał na żonę.

— Belzebub, nie ja – uściśliła Marylka. – Nie, skądże znowu. Nie czuję specjalnej chęci, żeby być w centrum uwagi. Poza tym apteka jest moim miejscem pracy, a nie maglem, o czym dzisiaj – grzecznie, ale stanowczo – przypomniałam naszym zaaferowanym zbrodnią pracownicom. Choć przyznam, że nie czuję się zbyt komfortowo ze świadomością, że tak blisko naszego domu zabito kobietę.

— Po nieboszczyku znalezionym w naszym domu to już chyba nie robi na mnie większego wrażenia – wyznał Sławek. – Przy tamtym się napracowaliśmy, tutaj ktoś inny się męczył.

— Bo ja wiem? – zastanowiła się Marylka. – Tam od tej ulicy za nami jest taki żwirowy podjazd do tej łączki. Mógł podjechać samochodem i babę ułożyć na tym pokrzywowym kobiercu... Może się poparzył przy okazji? Ciekawe, czy policja na to wpadła. Powinni sprawdzić, czy ktoś z podejrzanych nie ma bąbli.

— Iii tam. Rękawiczki pewnie włożył. Dziś naród wykształcony po tych wszystkich serialach i programach kryminal...

– Belzebub! Co ty tam podżerasz?! – Marylka poderwała się z ławki i dopadła ulubieńca, który łypnął na nią wściekle i przyśpieszył konsumpcję. Z pyszczka wystawały mu długie odnóża jakiegoś owadziego nieszczęśnika. – Cholera! Chyba zeżarł tego wielkiego komara! Belzebub, nie jedz tego! Wypluj! To niedobre!

– Skąd wiesz? – zainteresował się Lipski. – Próbowałaś?

– Sławek! – Marylka wzdrygnęła się z obrzydzenia, westchnęła, pogłaskała kota i wróciła na ławkę z nadzieją, że reszta owadziej populacji wyciągnie odpowiednie wnioski ze śmierci jednego ryzykanta i będzie omijała ich ogród szerokim łukiem, dopóki koci kiler nie zostanie zamknięty w domu.

– Daj mu trochę luzu – skarcił ją małżonek. – Nic mu nie będzie. To czyste białko.

– W domu ma co jeść!

– To jest facet, kochana. W dodatku drapieżnik. Łup upolowany osobiście podnosi mu samoocenę. Musisz się z tym po…

– Aaa! – wrzasnęła znienacka Marylka i poderwała się z ławki, machając rękami jak wiatrak i czyniąc przy tym dziwne podrygi. – Aaa! Zabierz go! Natychmiast!

Lipski w ostatniej chwili złapał smycz, którą wypuściła, owinął sobie wokół przegubu – bo doskonale wiedział, że w razie zniknięcia Belzebuba musiałby go szukać do skutku – ale nie zdążył zrobić nic więcej. Kątem oka dojrzał tylko, jak z szybkością błyskawicy zbliża się ku nim wielka, czarna, zjeżona kula. Nim zdążył zareagować, kocur z impetem skoczył Marylce na plecy. Nie miała szans w tym starciu. Padła na trawę i znieruchomiała ze strachu, usłyszała bowiem dziwne chrupnięcie.

– Matko jedyna – wystękała niewyraźnie, bo w ustach miała źdźbła trawy. – Tfu, tfu... Sławuś, chyba jedenaście kilo Belzebuba złamało mi kręgosłup... Nie dam rady wstać, bo on na mnie siedzi... Belzebub, nie kręgosłup... Chrupnęło, aż echo poszło... Chyba powinieneś wezwać karetkę, kochany. Kręgosłupowców nie wolno ruszać, bo można im zaszkodzić...

– Marylka, co ty bredzisz? – Zaniepokojony Sławek zdjął z żony kocura, który nie protestował, tylko mocniej zacisnął paszczęki na zdobytym łupie. – To nie twój kręgosłup chrupnął, tylko ten chrabąszcz, co cię tak przestraszył. Belzebub go właśnie zżera.

Marylka od razu cudownie ozdrowiała. Poderwała się na równe nogi i dopadła ulubieńca, usiłując go zmusić, by wypuścił zdobycz. Belzebub ani myślał. Upolował złoczyńcę, który śmiertelnie przeraził jego osobistą dwunożną, i należała mu się nagroda. Mocniej zacisnął szczęki, uchylił się przed ręką, która najwyraźniej zamierzała pozbawić go łupu, cofnął się nieco i z całej siły grzmotnął kucającą przed nim Marylkę twardą łepetyną w brodę. Po czym schował się za Lipskim i spokojnie kontynuował konsumpcję, łypiąc tylko czujnie na powaloną panią.

Tym razem Marylka padła na plecy. Nawet nie pisnęła, gdyż zachowanie pupila nią wstrząsnęło. Kiedy mąż się pochylił, by pomóc jej wstać, spojrzała na niego wzrokiem zranionej łani i wyszeptała z niedowierzaniem:

– Walnął mnie… Belzebub mnie zaatakował… Chityna… Tego się nie da strawić… Zaszkodzi mu… Weterynarz… Dlaczego on mnie…

– Marylka, przestań! – Sławek podniósł ją, delikatnie otrzepał z trawy i okruchów ziemi. – Nie zaatakował cię. Najpierw bronił ciebie, bo się darłaś wniebogłosy, a potem bronił swojego łupu. Koty to drapieżniki, instynkt zadziałał. Nie chciał zrobić ci krzywdy, tylko cię odepchnął. – Obejrzał się na kocura, który wypluł twardy pancerzyk i przystąpił do dokładnej toalety. – Widzisz? Nic mu nie będzie.

Sponiewierana cieleśnie Marylka zamrugała niepewnie oczami, a potem spojrzała na Belzebuba. Kot przestał się myć, podszedł do niej i owijając się wokół jej nóg, zamruczał donośnie, jakby mówił: „Nie bój się, zawsze cię obronię".

Natychmiast mu wybaczyła.

– Fiasko? – bardziej stwierdził, niż zapytał Jerczyk na widok min wchodzących do jego gabinetu policjantów.

Szczęsny tylko machnął bezradnie ręką, a Tadzio smętnie powiedział:

– Kompletna klapa. Obaj mają tak wypucowane warsztaty, jakby startowali w konkursie Mister Błysk. To nienormalne. Tyle nam się udało, że ustaliliśmy na podstawie ich zeznań, kiedy widziano denatkę żywą po raz ostatni. Ten szewc miał włączone radio i przypomniał sobie, jaka audycja była nadawana, kiedy Gburkowa wychodziła. Sprawdziliśmy. Musiała wyjść od niego kwadrans po czternastej. – Sierżant Skotnicki poczochrał się po obfitej czuprynie, opadł na fotel i jęknął sfrustrowany: — Zaczynam wierzyć, że utłukł ją jakiś kierowca, który akurat przejeżdżał, i podrzucił na tę łączkę! Jeśli tak, to w życiu go nie złapiemy!

— Schwytamy sprawcę prędzej czy później — uspokoił go prokurator. — Zapomnij o kierowcy, Tadziu. To malutka uliczka, nikt w nią nie wjeżdża, jeśli nie musi. Co oznacza, że powinniśmy szukać wśród mieszkańców tego kwartału.

— Ja bym wolał prędzej — wyznał Szczęsny ponuro. — Nasz warszawski boss wyraźnie nie przepada za przekładaniem papierków i bywaniem na salonach. Boję się, że w końcu nie wytrzyma i odbierze nam tę sprawę.

— Naciskał już?

— Nie. Ale może w stolicy działają szybciej i…

— To na razie się nie przejmuj. — Krzysztof poklepał go po ramieniu. — Słuchajcie, chłopaki, dziś pół nocy spędziłem, gapiąc się na tę cholerną mapkę. — Wskazał leżący na ławie wydruk ściągnięty z internetu. — Przepytaliście wszystkich mieszkańców obu ulic i wszyscy mają alibi…

— Mogą kłamać — zauważył Tadzio.

— Nie za bardzo. Przeczytałem zeznania, które spisaliście. Przycisnąłem Brożka. Nie napisał tego w raporcie z sekcji, ale tak między nami obstawiałby czas zgonu między czternastą a piętnastą. Zeznania szewca to potwierdzają. Z tej godziny wszyscy wasi rozmówcy dokładnie się rozliczyli. Tak naprawdę tylko dwóch nie ma świadków…

— Szklarz i szewc. — Łukasz przypomniał sobie rozmowy z rzemieślnikami.

– Właśnie. Obaj twierdzą, że siedzieli wtedy w swoich warsztatach. Obaj przyznali, że nieboszczka Gburkowa odwiedziła ich przed śmiercią...

– Ale po co mieliby ją zabijać? – zastanawiał się sierżant Skotnicki. – Była obca w Kraśniku. Gdyby coś im się nie podobało, zawsze mogli ją spławić. To prywatny interes, nie muszą przyjmować każdej roboty.

– Ja bym się obu dokładnie przyjrzał – powiedział Jerczyk z naciskiem. – Patrzcie tutaj! – Dźgnął palcem plan osiedla domków. – Po tej stronie Cichej stoją tylko prywatne domy. Po drugiej, przy wjeździe jest ogrodzona pusta parcela, potem zakład szklarski, ta żwirówka, zakład szewski i kolejna parcela z rozpoczętą budową...

– To za Lipskimi – wyrwał się Tadzio.

– ...a dalej kolejne domy. Obie parcele dokładnie przeszukaliście i żadnych śladów nie było – kontynuował prokurator. – Ta łączka, na której znaleziono zwłoki, należy do Szklarskiego. Na jednej stoi dom, na kawałku drugiej – warsztat, a reszta ziemi leży odłogiem. Tak samo sprawa wygląda w przypadku szklarza, tylko on tę połowę pozostałej po budowie warsztatu parceli przyłączył do swojego ogrodu.

– Ale co nam z tej wiedzy przyjdzie? – Tadzio nie zrozumiał.

– Może coś przyjdzie – powiedział powoli Szczęsny, marszcząc brwi. – Uważasz, Krzysiu, że tylko oni obaj mieli swobodny dostęp do miejsca, gdzie znaleziono zwłoki?

– Nie. Wiem, że nie tylko oni. Pamiętam o tym skrócie wydeptanym przez ludzi. Przecież Lipska tamtędy właśnie szła. – W głosie Jerczyka dźwięczało zniecierpliwienie.

– Ale oni obaj są najbliżej miejsca, w którym znaleziono zwłoki.

– Coś w tym jest – przyznał sierżant Skotnicki. – Wiemy, że baba wizytowała obu, a potem tajemniczo rozpłynęła się w powietrzu... Szewc? Bo u szklarza była wcześniej?

– To szklarz tak mówi. – Prokurator potrząsnął głową. – Na kwicie nie ma godziny. Może któryś z nich kłamie. Nikt niczego nie widział, niczego nie słyszał... A może ta Gburkowa się nie broniła, bo znała mordercę i oceniła, że nie ma powodu do obaw? Z tego skrótu korzystają miejscowi. Najwięcej ludzi przechodzi nim rano, kiedy idą na przystanek, i po piętnastej, gdy wracają z pracy. W międzyczasie na tej przelotówce jest pusto. Mówi wam to coś?

– Zna dobrze teren – mruknął Łukasz. – Czuje się tu bezpieczny... Może i masz rację, Krzysiu, ale ciągle nie widzę motywu. Rozmawiałem z tymi dwoma. Wprawdzie obaj nie są specjalnie komunikatywni, ale prowadzą te swoje warsztaty od lat... Dlaczego mieliby zabijać kompletnie obcą klientkę?

Jerczyk westchnął i rozłożył bezradnie ręce.

– Nie wiem – przyznał. – Nie potrafię dopasować żadnego motywu.

– Ta cholerna latarka, którą kupiłem na Allegro za sporą kasę, do niczego się nie przydała – powiedział smętnie Tadzio. – Szkoda, że nie sprzedają takich małych aparacików do prześwietlania myśli. Coraz bardziej mi się widzi, że któryś z nich kłamie. Obaj mają w tych warsztatach tak czyściutko, że z podłogi można jeść. To nie jest normalne... Może baba faktycznie zobaczyła coś, czego nie powinna? Któryś nie chciał mieć kłopotów i pozbył się nieboszczki?

– Ale który? – Ton Jerczyka był ponury.

– A może obaj? – podsunął Tadzio z nadzieją. – I dlatego tak posprzątali? Bo będę się upierał, że to jednak nienormalne...

– Tadziu – skarcił go Szczęsny – przestań tworzyć scenariusz do kiepskiego filmu. Uważasz, że najpierw ją poddusili w jednym warsztacie, a potem poleciała do drugiego, bo jej było za mało? Zabójca jest jeden, nie ma się co łudzić... Wiecie, chłopaki, ja bym sobie pogrzebał w przeszłości obu panów. Może na coś trafię.

– Dobra. To ja popytam na mieście – zaproponował sierżant Skotnicki, który nie znosił uczucia bezradności. – Może też coś znajdę. Narodek u nas wszechwiedzący i lubi pyszczyć o bliźnich...

– Wiesz, Maminka, miałaś rację – przyznała Marylka, patrząc na tarzającego się w trawie kocura. – Odkąd wyprowadzam Belzebuba do ogrodu, przestał uprawiać ten domowy wandalizm. A przy okazji chyba pozbyliśmy się tego Dytka, co nam wszystko chowało. Tylko sztućce musieliśmy kupić nowe. Ale już nie giną.

– Dytko? – Marta się uśmiechnęła, z przyjemnością popijając wodę z cytryną i pokruszonym lodem, którą zaserwowała jej gospodyni. – A nie Belzebub?

– No coś ty! – Marylka się obruszyła. – Po co kotu łyżki i widelce? Albo wielki nóż kuchenny? Wyobrażasz sobie Belzebuba z nożem w zębach? – Zachichotała.

Marta przyjrzała się z uwagą kocurowi, który właśnie ostrzył pazury na pniu starego głogu, i pokiwała głową.

– W przeciwieństwie do ciebie nie mam z tym kłopotu. Doskonale sobie wyobrażam. Powiem więcej: jestem pewna, że te wszystkie domowe rozbiórki też zawdzięczacie jemu.

– Coś i mnie tak się zdaje – zgodził się Sławek, który przysiadł właśnie obok, ostrożnie odkładając wielki sekator (przez całe popołudnie pracowicie wycinał martwe gałązki z żywopłotu rosnącego wzdłuż tylnego ogrodzenia). Sięgnął po szklankę, nalał sobie zimnego napoju i kontynuował: – To jest lepszy cwaniak. Gdyby był człowiekiem, już by się dorobił pierwszego miliona. Tego, który należy ukraść. Po tych wydłubanych klepkach uwierzę we wszystko…

– No, wy to naprawdę… – Marylka zapowietrzyła się bojowo. – To jest mały kotek!

– Mały? – Sławek uniósł brwi i przyjrzał się pupilowi, który zajął się spożywaniem trawy. – Mały to on był kiedyś. Teraz to jest czarny potwór o gabarytach średniej wielkości kundla i sprycie rzezimieszka. Nie dość, że ubił ci kuzyna, nie dość, że poradził sobie z włamywaczem, nie dość, że znalazł w plenerze obcą nieboszczkę, to jeszcze kradnie. Ciekawy jestem, czy kiedykolwiek uda nam się znaleźć jego kryjówkę. Bo gdzieś przecież te złodziejskie łupy musiał upychać.

– Trzeba przyznać, że macie wybitnie utalentowanego kota – powiedziała szybko Marta, bo Marylka aż poczerwieniała z oburzenia.

– Fakt – zgodził się Sławek. – Drugiego takiego egzemplarza chyba na świecie nie ma. Aż strach pomyśleć, co mu jeszcze przyjdzie do tej czarnej łepetyny.

– Miau! – zakończył dyskusję Belzebub, który właśnie uznał, że pora na porządny posiłek, i łypnął ponaglająco na Marylkę.

Tresowana systematycznie dwunożna natychmiast zapomniała o awanturze, złapała kota na ręce i poszła prosto do kuchni, by nakarmić swojego wybitnie utalentowanego zwierzaka.

– Chyba na coś trafiłem, tylko nie bardzo wiem, jak to powiązać z zabójstwem – wyznał dość niepewnie Szczęsny, zajmując miejsce przy ławie w gabinecie prokuratora. – Już gadaliśmy z Tadziem, ale do żadnych powalających wniosków nie doszliśmy.

– A gdzie Skotnicki?

– Robi dobre wrażenie na podwórkowych babciach i zbiera informacje… Słuchaj, oni obaj są wdowcami!

– No, wiem przecież! – Jerczyk spojrzał na kolegę ze zdziwieniem. – Czytałem protokół z przesłuchania.

– Ale w nim nic nie było na temat okoliczności śmierci ich żon – powiedział Łukasz. – Jedna zmarła na skutek porażenia prądem, a druga zleciała z drabiny ze skutkiem śmiertelnym. Złamanie podstawy czaszki i natychmiastowy zgon. Byłem na miejscu zdarzenia po śmierci Szklarskiej. Pamiętam tę sprawę. Obie sytuacje uznano za nieszczęśliwe wypadki. Dziwne, nie? Obydwaj mieszkają po sąsiedzku, mają warsztaty na tej samej ulicy i zostali wdowcami w odstępie kilku miesięcy. Dla mnie to trochę za dużo zbiegów okoliczności.

– No, to ciut podejrzane – przyznał Krzysztof po namyśle. – Ale w życiu zdarzają się dziwne przypadki... Myślisz, że obaj pozbyli się dokuczliwych małżonek? A gdyby nawet, to nie widzę wspólnego mianownika z naszą sprawą. Gburkowa nie była stąd, w niczym im nie zagrażała. Potrafisz wymienić jakiś powód, dla którego mieliby się jej pozbyć?

– Nie – przyznał Szczęsny ponuro. – Ale nie dają mi spokoju te zbiegi okoliczności. Dla mnie to podejrzane. Może oni sobie pomogli, żeby się pozbyć swoich ślubnych? Albo się kryli wzajemnie, by mieć alibi?

– Łukasz, jak nie będziesz miał co robić, to zabaw się w śledczego z archiwum X i grzeb przy tamtych zgonach, ile chcesz – powiedział Jerczyk ze zniecierpliwieniem w głosie. – Ale teraz mamy na głowie ewidentne zabójstwo tej Gburkowej, a do mnie wydzwania jej nieutulony w żalu małżonek na zmianę ze swoim pracodawcą, czyli Kroczkiem. Dopuszczam myśl, że jeden z właścicieli warsztatu kłamie albo coś ukrywa. Chciałbym wiedzieć, co i dlaczego. Ale przede wszystkim musimy poznać motyw tego zabójstwa. Bo bez niego długo jeszcze będziemy kręcić się wokół własnego ogona...

Belzebub doszedł do wniosku, że życie kota bywa niekiedy więcej niż znośne. Kiedy wegetował w lubelskim mieszkaniu, nie miał pojęcia, ile przyjemności go omija. Teraz mógł żyć na pełny regulator. Dopóki Lipscy nie mieli bladego pojęcia o jego nocnych wyprawach, oczywiście. A tego stanu rzeczy zamierzał skrupulatnie pilnować.

Każdej nocy wymykał się na zewnątrz i coraz lepiej poznawał okolicę. Psów się nie obawiał, bo mieszkańcy osiedla trzymali je w domach. Jeśli czasem gdzieś zaplątał się jakiś bezpański, kocur jednym syknięciem i wyszczerzeniem imponującego uzębienia zniechęcał go do bliższego kontaktu. Napotykanym kotom wystarczała mowa ciała. Na widok gabarytów przeciwnika wolały się ewakuować. Belzebub czuł się na swojej ulicy jak udzielny władca. Zwłaszcza że i dwunożni omijali go z daleka. Co prawda jego ulubiona pora spacerów nie była równie ulubiona dla ludzi, raz jednak zdarzyło mu się spotkać jakiegoś nieszczęśnika błąkającego się bezradnie po uliczce i wyraźnie nieprzystosowanego do ziemskiej grawitacji. Chłopinie dodatkowo przysłużyła się obecność osadzonej tuż przy krawężniku latarni: najpierw tylko wsparł się o nią, żeby nieco zregenerować znękane ciało, a potem nie mógł się od niej uwolnić. Kiedy robił kolejną rundę wokół słupa, z mroku diabelsko błysnęły oczy Belzebuba, usadowionego bezpiecznie w dorodnych funkiach rosnących przed ogrodzeniem pobliskiego domu. Zwierzak ze stoickim spokojem przyglądał się widowisku. Pijaczyna kota nie dojrzał, a niewiadomego pochodzenia ślepia zrobiły na nim tak wstrząsające wrażenie, że przeżegnał się odruchowo, momentalnie wyszedł na prostą i, nieco chwiejnie, acz pośpiesznie, oddalił się z niebezpiecznego terenu.

Po tych nocnych wycieczkach kocur był tak wykończony, że padał na swoim ulubionym drapaku i zasypiał jak kamień. W ciągu dnia też się specjalnie nie przemęczał, bo oszczędzał siły na swoje eskapady.

Lipscy uznali, że spokój na froncie domowym zawdzięczają kocim wycieczkom do ogrodu, a Belzebub nie wyprowadzał ich z błędu. Cała trójka chwaliła sobie błogą egzystencję na linii kot–człowiek, ale dziś sytuacja miała ulec zmianie. Łup znaleziony podczas ostatniej kociej wędrówki z całą pewnością zasługiwał na to, by zademonstrować go Marylce.

Kiedy magister Lipska, zmuszona przez Belzebuba, wyszła z nim do ogrodu, jej pracowity i radosny małżonek, podśpiewując i pogwizdując pod nosem, przycinał niesforne gałązki żywopłotu na tyłach domu. Zamierzał go doprowadzić do stanu, jaki widywał na zdjęciach w internecie: miał być idealnie wyrównany, gęsty i zielony, by koić zmęczone oczy i napawać dumą świeżo upieczonego ogrodnika.

– Prawdę mówiąc, kochany, to ja mam dziś trochę roboty – stwierdziła Marylka z westchnieniem, patrząc przepraszająco na Belzebuba. – Najchętniej przywiązałabym cię do któregoś drzewa, ale to chyba niehumanitarne... No, dobrze, skarbie. Pozwiedzaj sobie chwilkę, a potem wrócimy do domu. Mama da jeść i weźmie się do porządków, a wieczorkiem znowu sobie pospacerujesz. Chyba że... Sławek! Przypilnujesz Belzebuba?! – krzyknęła w stronę męża.

Lipski, skupiony na swojej pracy, nie dosłyszał wołania, a kocur, zwabiony Sławkowym pogwizdywaniem, pognał za dom, zatem uwieszona na drugim końcu smyczy Marylka nie miała wyjścia i pośpiesznie ruszyła za nim.

– Sławek, dałbyś radę przypilnować Belzebuba? – wydyszała na widok małżonka. – Powinnam wziąć się do porządnego sprzątania, a on wyraźnie chce pobyć na dworze.

– Mam go uwiązać do siebie? Bo, jak widzisz, też jestem zajęty. Trochę mi zejdzie z tym żywopłotem. Zapuszczony jest okropnie. Chyba od lat nikt go nie tknął sekatorem... Sprzątanie ci nie ucieknie. Jak dziś nie zdążysz ze wszystkim, dokończę w poniedziałek, bo idę na drugą wachtę, tylko mi powiesz, co trzeba zrobić. Niech sobie kocina zażyje świeżego powietrza.

– Trudno – westchnęła Marylka. – Niech zażyje. Może się szybko zmęczy i zdążę ze wszystkim...

Belzebub zlekceważył problemy swoich dwunożnych, bo zainteresowały go ścięte gałązki i listowie zaścielające ziemię wzdłuż przycinanego żywopłotu. Obwąchał je dokładnie, sprawdził, czy nadają się do konsumpcji, wypluł z niesmakiem i usiadł, z uwagą lustrując bukszpanowy gąszcz. Może zaplątał się w nim jakiś motylek albo inny owadzi intruz? Takich rarytasów w domu nie dostawał. No i domowe jedzenie nie sprawiało takiej frajdy, bo nie uciekało przed nim. Było obrzydliwie stacjonarne.

Kocur uniósł głowę, zastanawiając się, czy dałoby się wskoczyć bez uszczerbku cielesnego na wierzch tej gęstwiny i sprawdzić, czy można po niej przejść. W nozdrzach poczuł nutkę znajomej woni i natychmiast przypomniał sobie, że ma robotę do wykonania. Musiał koniecznie powiadomić Marylkę, że znowu odkrył coś, co zawsze wywoływało w niej wiele interesujących emocji. Zerwał się na równe łapy i pociągnął zaskoczoną właścicielkę ku domowi, a potem w stronę furtki.

– Sławek! Chyba idziemy na spacer! – zdążyła krzyknąć i bez protestu podążyła za pupilem, z nadzieją, że przechadzka zmęczy go na tyle, by dał jej czas na porządki.

– Marylka! Na wszelki wypadek nie idźcie na tę cholerną łączkę! – zawołał za nią małżonek, ale nie dosłyszała, bo Belzebub awanturował się, by pośpieszyła się z otwarciem furtki.

– Już, kochany – wydyszała uspokajająco Marylka, kiedy wreszcie wyszli na chodnik. – Weź pod uwagę, że ja nie jestem gibką kocicą, tylko spoconą i zmęczoną dwunożną istotą, która nie ma takiego refleksu jak ty... Wiesz, może byśmy dziś poszli w drugą stronę, co? – Zawahała się przez moment, kiedy kocur skręcił w prawo. – No, dobrze, ty prowadzisz. Statystycznie rzecz biorąc, swoje już odpracowaliśmy, więc łączka powinna zawierać dziś wyłącznie elementy przyrodnicze... Chociaż... W zasadzie człowiek to też kawałek przyrody – medytowała półgłosem, drepcząc za swoim pupilem. – Może mniej estetyczny, a bardziej szkodliwy, ale jednak... Mieszkam tu już prawie rok i nikt mnie nie uprzedzał, że na tutejszych łąkach rosną nieboszczycy. – Belzebub i Marylka skręcili w wydeptaną dróżkę. – Na zdrowy, chłopski rozum biorąc, nie ma takiej możliwości, żebyśmy trafili na kolejnego podrzutka. E, nie ma co się bać – pocieszyła samą siebie. – W końcu mam kota obronnego. Nie naraziłby mnie na takie przeżycia. Tamta w różowościach to był po prostu wypadek przy pracy...

Marylka szła za Belzebubem, od czasu do czasu zerkając niepewnie na wszystkie strony. Było cicho, spokojnie i pusto. Większość mieszkańców odwiedzała właśnie liczne kraśnickie supermarkety, pozostali odpoczywali po pracowitym tygodniu lub zajmowali się domowymi porządkami. W nagrzanym powietrzu czuć było intensywny zapach kwitnących w ogrodach jaśminowców, zmieszany z wonią ziół, uprawianych przez coraz większą liczbę mieszkańców.

Belzebub dotarł do upiornej łączki i obejrzał się na Marylkę, która zwolniła kroku, z przyjemnością wdychając ogrodowe aromaty. Sprawiała wrażenie zadowolonej z życia spacerowiczki i kocur poczuł irytację. Nie przyprowadził jej tu dla głupich zachwytów. Chciał ją ostrzec, że w pobliżu znajduje się coś, czego jego dwunożna bardzo nie lubi i czego już kiedyś usiłowała się pozbyć. Czyżby Marylka naprawdę była aż taka tępa? Może powinien był przyciągnąć tu Sławka? Chyba jednak ludzkie samce szybciej i bardziej racjonalnie reagują na takie rzeczy. Zamiast się gapić jak kołki, przystępują do usuwania problemu.

Belzebub majtnął gniewnie ogonem, usiadł przed kępą pokrzyw i miauknął głośno, co wyrwało Marylkę z błogiego relaksu.

– Co ci tam znowu nie pasuje, kiciu? – zapytała łagodnie. – Pokrzywy nie... Już ci tłumaczyłam, że one parzą.

Poszukaj sobie jadalnej trawki. Na pewno tu jest... Co ty tam masz? – zainteresowała się, bo zniecierpliwiony kocur wraził łapę w parzącą kępę i wydłubał z niej coś różowego. – Fuj, jaki okropny kolor! – Marylka się skrzywiła, przykucnęła i przymrużyła oczy. – Co to? Torebka? Nie wierzę! W środku ma różowe futerko! Może to dziecięca? – zastanowiła się z nadzieją i wyciągnęła rękę po znalezisko.

Nie zdążyła go nawet dotknąć, bo kocur złapał w zęby jej palce i łypnął groźnie, robiąc przy tym straszliwego zeza.

– No, co ty? – Lipska struchlała. – Uważasz, że to też jest łup? Tego się nie je, kiciu. Nie dość, że paskudne, to jeszcze chyba niestra... – W tym momencie oko jej poleciało na coś, co prześwitywało spomiędzy pokrzywowych łodyg, a kiedy uświadomiła sobie, co widzi, skamieniała.

W pokrzywach leżało kolejne ciało, bezczelnie urągając wszystkim statystykom świata.

– No to mamy nowe zwłoki – powiedział ponuro prokurator Jerczyk i jęknął sfrustrowany. – I znowu ten cholerny kot je znalazł! Jesteście pewni, że Lipscy nie mają nic wspólnego z tymi morderstwami?

– Jesteśmy – odparł równie ponuro Szczęsny.

– Co wiemy o denatce?

– Marianna Skórka, lat czterdzieści dwa, panna – włączył się sierżant Skotnicki, wspomagając się notatkami. – Kraśniczanka od urodzenia, pracowała w sklepie z używaną odzieżą.

– Jakaś rodzina?

– Mieszkała samotnie w kawalerce po rodzicach. Oboje nie żyją. Sąsiadki mi wyklepały, że jej największym marzeniem było zamążpójście i zamierzała dać anons w internetowym biurze matrymonialnym. – Tadzio się skrzywił. – Głupota. Nigdy nie wiadomo, czy się nie trafi na jakiegoś czubka. Nawet sobie pomyślałem, że…

– Nic z tego – przerwał mu Łukasz z westchnieniem. – Brożek wstępnie powiedział, że zginęła w ten sam sposób jak Gburkowa.

– Czyli uduszona? – uściślił prokurator.

– Czyli. Poza tym nie wierzę, że biuro matrymonialne to nasz trop. Gburkowa była mężatką i z tego, co mi wiadomo, nie szukała kolejnego chłopa… Wiecie co, chłopaki? Nie chcę siać paniki, ale nos mi mówi, że…

– …mamy seryjnego? – dokończył Jerczyk i znowu jęknął. – A może te baby się znały? Może coś je łączyło? – W jego głosie tliła się nadzieja.

– Jedyne, co je mogło łączyć, to znajomość typu klientka–sprzedawczyni – mruknął Tadzio. – Bo Skórka pracowała w tym sklepie, w którym Gburkowa robiła zakupy. Te buty tam kupiła, a wcześniej kieckę, w której ją znaleziono.

– Cholera… Ciało przeciągnięto na łączkę, tak?

– Owszem. Zginęła prawdopodobnie między siedemnastą a dwudziestą – powiedział Szczęsny smętnie. – Dokładniej ma być w raporcie. Nic nie zginęło, a przynajmniej na to wygląda. W portfelu miała kartę do bankomatu, jakieś drobne i dokumenty. Torebka z zawartością leżała pod ciałem, a obok druga…

– Ta druga miała rozwalony zamek – uzupełnił sierżant. – Z takimi felerami to się chyba do szewca idzie, nie? Ja bym mu się dokładniej przyjrzał.

– Już się przyjrzałem – burknął Łukasz i wzruszył ramionami. – Śmierć żony uznano za nieszczęśliwy wypadek, a facet jest czysty jak łza. Nawet mandatu nie miał.

– Czysty jak łza to może być ciuch, jak się go porządnie upierze. – Tadzio pokręcił głową. – Choć też wątpię. Zawsze coś zostanie… Ja bym sąsiadów popytał, jak on tam z tą żoną żył. Bo szklarza już prześwietliłem. Z plotek wyciągnąłem wnioski i wyszło mi, że ta jego kobita charakter miała ciężki. Ponoć nawet po niej płakał, ale szybko się pozbierał. Tyle że teraz go otrząsa na samą myśl o ponownym ożenku.

– Czyli w dalszym ciągu obaj są podejrzani… Cholera! – W głosie Jerczyka dźwięczała bezsilność.

– Podejrzani? Tak bym tego nie nazwał – westchnął Szczęsny. – Nie mamy cienia dowodu, że to któryś z nich. No i motyw… Motywu też nie mamy…

– Nigdy więcej nie wyjdę z Belzebubem poza nasze podwórko – przysięgła Marylka żarliwie i łapczywie napiła się wody z lodem i cytryną. – Ci policjanci niby byli grzeczni, ale patrzyli na mnie z wyraźnym obrzydzeniem. Jeśli się rozejdzie po Kraśniku, że znajduję nieboszczyków jak inni grzyby, splajtujemy szybciej, niż zaczynaliśmy.

– Nie ty znajdujesz, tylko Belzebub – poprawił Sławek i pokręcił głową. – Podejrzewam, że się mylisz. Już trochę poznałem tutejszy narodek. Gdyby wiedzieli, że osobiście widziałaś zwłoki i to ty wezwałaś policję, mielibyśmy w aptece tłumy.

– Policję to ty wezwałeś, bo ja od tego widoku całkiem zgłupiałam. – Marylka dopiła duszkiem wodę i zmarszczyła brwi. – Wiesz, Sławuś... Tak się zastanawiam... To jednak dziwne jest...

– Co?

– Co tam się dzieje na tej łączce? Ktoś sobie założył osobisty cmentarz? I skąd nasz Belzebub wie, że akurat tego dnia została podrzucona nowa lokatorka? Sam widziałeś, jak mnie ciągnął do furtki. To nie mógł być przypadek.

– Śmierdziała? – zapytał Lipski po namyśle.

– Kto? – zdziwiła się Marylka.

– Nieboszczka. Gorąco było, to mogła śmierdzieć i kot poczuł.

– Ja tam nic nie czułam – wyznała Marylka uczciwie. – Podsłuchałam, jak ten lekarz mówił, że zginęła poprzedniego dnia. Chyba jeszcze nie miała szans, żeby popaść w aromaty... Hmm... Chciałabym wiedzieć jeszcze jedno. Jeśli Belzebub wie, że tam przybyła nowa nieboszczka, dlaczego akurat mnie o tym informuje? Uważa, że zrobi mi tym przyjemność?

– Co on myśli, to ja nie mam pojęcia. Może taka nieboszczka to dla niego taki bukiet, który rzuca ci pod nogi jako wyraz uwielbienia? – zastanowił się Sławek.

Marylka spojrzała na męża z niesmakiem i pośpiesznie nalała sobie kolejną porcję wody.

– Nie wymagam aż takich wyrazów. Do wazonu ich raczej nie wetknę – mruknęła z irytacją. – I mam nadzieję, że następne bukiety sobie odpuści. Właśnie sobie uświadomiłam, że mocno przekroczyłam limit nieboszczyków przypadających na osobę, która nie pracuje w branży pogrzebowej, służbie zdrowia czy w policji. Przysięgam, że nie będę rozczarowana, jeśli już żadnego nie zobaczę... Co ci się stało? – zaniepokoiła się, bo Lipski nagle znieruchomiał i w jego oczach błysnęła zgroza.

– Marylka, ja cię nie chcę straszyć – powiedział powoli – ale mam dziwne wrażenie, że tuż obok nas dzieje się coś...

– No? – nacisnęła małżonka niecierpliwie, kiedy urwał.

– Nie wydaje ci się, że ktoś w tym miasteczku poluje na kobiety?

Marylka zbladła i rzuciła mu przerażone spojrzenie.

– Matko świętego Jacka! Psychopata! Sławek, nie zostanę w domu sama nawet na minutę! – Upiła łyk wody i prawie podskoczyła, bo poczuła delikatne muśnięcie na łydce. O jej nogi ocierał się miłośnie Belzebub i wydawał z siebie ponaglające gruchanie, które oznaczało, że coś by przekąsił. Poczuła ulgę i wdzięczność. – Chrzanić psychopatę – rzuciła raźno, wstając. – Zapomniałam, że przecież mamy kota obronnego... Chodź, malutki. Mamusia da jeść.

Kiedy Krzysztof Jerczyk zobaczył w drzwiach swojego gabinetu dwójkę ulubionych współpracowników, od razu wiedział, że mają za sobą ciężkie przeżycia. Obaj wyglądali na spiętych i zrezygnowanych.

– Byliście na dywaniku? – zapytał, ruchem ręki wskazując im fotele, i od razu przez interkom poprosił sekretarkę o dzbanek kawy. – Werner was opieprzył? Nie bójcie się, nie odsunie was od sprawy, bo nikt inny sobie z nią nie poradzi. Wy już macie parę sukcesów na koncie, chłopaki.

– Nie opieprzył. – Szczęsny pokręcił głową i westchnął. – Kazał sobie zreferować wszystko, co wiemy, przejrzał raporty i powiedział, że mamy dalej robić swoje. Tylko na koniec mu się wypsnęło, że jak nie damy rady, wtrąci się Lublin, a wtedy to już dupa mokra. My się narobimy, a pójdzie na ich konto. Wiesz, jak to działa, Krzysiu. Nasz były szef też lubił kolekcjonować zaszczyty.

– Pamiętam… – Jerczyk się skrzywił i przeczekał w milczeniu, dopóki sekretarka nie rozstawiła nakryć, do których jako bonus dołożyła czubatą miseczkę upieczonych przez siebie ciasteczek. – Dziękuję, pani Basiu. Myśli pani, że pomogą? – Z nikłym uśmiechem wskazał wzrokiem czekoladowe słodkości. – Potrzebujemy sukcesu jak powietrza.

– Pomogą – przyrzekła solennie sekretarka. – Czekolada dodaje energii. Wiara też, a ja wierzę w panów możliwości. – Uśmiechnęła się i wyszła.

– Kurka flaczek, co to za możliwości? – mruknął zdesperowany sierżant i umościł się wygodniej na fotelu. – Jedyny pewnik to ten, że wszerz się rozrosnę, jak zacznę się doładowywać kaloriami… Szkoda, że my tu w Kraśniku żadnego jasnowidza nie mamy. Przydałby się teraz…

– Tadziu, zapomnij o jasnowidzu i skup się – upomniał go niecierpliwie Szczęsny. – Przegadaliśmy dzisiaj wszystko z szefem, teraz omówmy to we trzech. Musieliśmy coś przeoczyć. Ja bym jeszcze raz prześledził raporty z sekcji i z laboratorium.

– Dobra – zgodził się z rezygnacją w głosie Jerczyk. – Do roboty, panowie.

W ponurym milczeniu rozłożyli przed sobą papiery i po raz setny zagłębili się w ich treść, którą wszyscy trzej znali już chyba na pamięć. Sierżant Skotnicki upił łyk znakomitej kawy, przez chwilę serdecznie pozazdrościł prokuratorowi idealnej sekretarki, a potem przypomniał sobie o ciastkach i sięgnął po jedno. Usiłował je spożywać jak najciszej, bez – jak to brutalnie określał doktor Brożek – akustycznych efektów paszczowych, ale twarda, lśniąca czekoladowa polewa chrupnęła pod zębami, a Tadzio zapomniał o kulturze, poczuł bowiem niebo w gębie. Owo smakowite chrupnięcie i wniebowzięta mina sierżanta zaktywizowały pozostałych towarzyszy niedoli. Prokurator i aspirant przełknęli ślinę i poszli za przykładem Skotnickiego.

– Kurka flaczek! – rozległ się w chrupiącej ciszy radosny głos Tadzia, który właśnie pochłonął trzecie ciastko. – Chyba ta czekolada faktycznie działa na mózg, choć pakuje się ją do brzucha! Przeoczyliśmy walerianę!

– Jaką walerianę? – zainteresował się Szczęsny podejrzliwie. – Brożek w raporcie z sekcji nie wspomina o żadnej walerianie.

– Bo to nie u Brożka, tylko w tym z laboratorium – wyjaśnił Tadzio i podsunął mu pod nos rzeczony raport. – Patrz!

Na kiecce Gburkowej znaleźli ślady kropli walerianowych. A tu masz drugi. – Pokazał palcem. – Ślady kropli na tej różowej torebce Skórki. Metoda zabójstwa i waleriana powtarzają się w obu przypadkach!

– Ale co nam to daje? – W głosie Jerczyka było znużenie. – Już wcześniej uznaliśmy, że to ten sam sprawca.

– Myślisz, że podaje ofiarom walerianę przed zabiciem? – zapytał sceptycznie Łukasz. – Nic by mu to nie dało. Już prędzej chloroform...

– Nie ofiarom – przerwał mu niecierpliwie Skotnicki. – Brożek by to wyłapał w treści żołądka. Sobie! Sobie podaje! Nerwus jest! Łapy mu się trzęsły i walnął sobie z gwinta!

Przez chwilę w gabinecie panowała głucha cisza, którą przerwał niepewnie Szczęsny:

– To ten Kopytko by mi pasował. Bo szybko się nakręca. Jak go drugi raz przesłuchiwaliśmy, był wyraźnie wściekły. Szklarski był spokojny jak aniołek. Nawet mu powieka nie drgnęła. Ani rączka. Zapytał tylko, czy po zakończeniu śledztwa mógłby obejrzeć jeszcze raz te buty, co naprawiał. Bo mu się kojarzą, a przy naprawie nie miał możliwości, żeby dokładnie się im przyjrzeć, bo mu klientka wisiała nad głową.

– I co? – zainteresował się zgryźliwie prokurator. – Co nam daje wiedza, że zabójca serwuje sobie krople walerianowe przed albo po? Widzicie jakiś powód, dla którego miałby mordować te kobiety? Bo ja wciąż nie. Musi być jakiś motyw, cholera! – Sfrustrowany rąbnął pięścią w ławę, aż podskoczyła zastawa. – Nikt nie morduje bez powodu!

– Psychopata morduje – mruknął smętnie Tadzio, z którego euforia już wyparowała.

– Psychopata zwykle też ma jakiś powód, tylko normalnemu człowiekowi trudno na niego wpaść – westchnął Szczęsny.

– Świetnie! – jęknął Jerczyk. – Jeszcze mi tylko do pełnego szczęścia psychopaty brakowało…

Tadzio Skotnicki spożył podany przez matkę spóźniony obiad, nie wiedząc nawet, co ma na talerzu. Jadł chyba z przyzwyczajenia, bo głowę miał zaprzątniętą tą cholerną sprawą, która powoli stawała się jego obsesją. Po raz pierwszy w swojej policyjnej karierze trafił na tak skomplikowane śledztwo. Rozumiał, że prokurator Jerczyk domaga się motywu, bo dla każdego oskarżyciela był to jeden z głównych punktów oskarżenia. Osobiście dostarczyłby go z przyjemnością, gdyby tylko jakiś przyszedł mu do głowy. Jednakże nie przychodził żaden, co go bardzo frustrowało.

– Tadziu, masz jakieś kłopoty w pracy? – Zaniepokojona matka, widząc nieobecny wzrok syna i jego ponurą minę, postanowiła przeprowadzić własne śledztwo.

– Kłopoty to moja specjalność – mruknął Tadzio, podpierając się klasyką, i przez chwilę pozazdrościł literackiemu detektywowi. Marlowe miał do dyspozycji amerykańskie trunki i piękne kobiety, a on najwyżej piwo, bo wódka go nie nęciła. Piękne kobiety zaś znał z widzenia i chyba na razie nie było szans, by to zmienić. Pocieszył go nieco fakt, że – w przeciwieństwie do Marlowe'a – jeszcze nie zdarzyło mu się w pracy porządnie oberwać. – Mamo, wiesz, że nie mogę o tym mówić – wykręcił się. – Kłopoty jak kłopoty. Normalka. Sprawę mamy, kurka flaczek, którą ciężko ugryźć.

– Te dwie kobiety? – Matka, jak przystało na mieszkankę prowincjonalnego miasteczka, była doskonale poinformowana. – Na mieście już cuda gadają. Starą Majewską pogonili ze sklepu, bo opowiadała, że ktoś morduje kobity, które tam kupują. Pewnie miała nadzieję, że przepłoszy stałe klientki. Właścicielka się wkurzyła i postraszyła ją sądem – dodała z szerokim uśmiechem, bo jak większość kraśniczan serdecznie nie znosiła upiornej plotkary. – Nagrabiła sobie Majewska, oj, nagrabiła. To najtańszy ciucholand w Kraśniku. I towar mają dwa razy w tygodniu. Jest w czym wybierać. Sama czasem zaglądam. Zawsze mają klientów. Jak raz rzucili kupę takich różowości, myślałam, że się baby pozabijają.

– Takie modne teraz te różowości? – Tadzio dał się wciągnąć w dyskusję.

– Gdzie tam modne! – prychnęła matka. – Gustu baby nie mają i tyle. Im się takie jarzeniowe ciuchy chyba z luksusem kojarzą. Ja bym tego kijem nie…

Tadzio nagle zbystrzał i poczuł, że z wrażenia robi mu się gorąco. Różowości? Kupa? Znaczy: w masie… On sam na takie różowości trafiał przy nieboszczkach pojedynczo, a może pochodziły z jednego źródła? Może zabrali się do sprawy nie z tej strony? Może trzeba inaczej?

– Mamo, a ty widziałaś te różowości? – przerwał jej i poderwał się od stołu. – Dużo tego było? Kiedy?

– Przecież mówię, że widziałam! – Pani Skotnicka spojrzała na niego ze zdziwieniem. – A kiedy? Bo ja wiem? Ze dwa miesiące chyba będzie… Dokładnie ci nie powiem…

– I co tam było? – spytał z napięciem.

– Ba! Czego tam nie było! – Matka wzniosła oczy ku sufitowi. – Wszystkiego nie pamiętam, bo tam się od razu tłum zrobił... To wszystko było na wagę, więc nie wisiało na wieszakach, tylko w takiej skrzyni leżało i baby w tym przebierały...

– Ale co tam było? – Tadzia aż podrzucało z niecierpliwości.

– Buty różowe pamiętam – powiedziała rodzicielka z namysłem. – Sukienki jakieś i bolerka obszyte futerkiem. Też różowym. – Skrzywiła się. – Spódnice chyba... Zaraz... O, pasek! To pamiętam, bo się świecił i strasznie walił po oczach...

– Poczekaj! Jak ci pokażę zdjęcia, to poznasz?

– Bo ja wiem? – Pani Skotnicka się zawahała. – Pasek pewnie bym poznała, bo rzadkiej urody obrzydlistwo, ale resztę... Pokaż, synku. Może i poznam.

Sierżant runął do swojego pokoju, wyszarpnął z teczki plik zdjęć i niecierpliwie wybrał te, które zamierzał pokazać rodzicielce. Wrócił do kuchni i rozłożył je na stole, zamaszystym ruchem ręki przesuwając na bok puste talerze.

– Uważaj, bo zrzucisz – zwróciła mu uwagę matka i z ciekawością przyjrzała się fotografiom. – O, buty poznaję – powiedziała z uciechą i popukała palcem w zdjęcie. – Zapamiętałam, bo dwie baby je sobie wydzierały. Majewska się darła, że pierwsza była i dla córki potrzebuje, a tej drugiej nigdy wcześniej nie widziałam na oczy. Ale ta obca jakaś zaprawiona w bojach, bo jej te buty wydarła. Chyba pierwszy raz w życiu Majewska nie dała rady postawić na swoim… Sukienki nie kojarzę. – Wzięła fotografię i zbliżyła do oczu. – Chociaż… Nie wiem… Mam wrażenie, że kiedyś widziałam tę kieckę na kimś… Kto to mógł być?

Tadzio zastygł jak kamień, przetrawiając informację.

– Tu widziałaś? W Kraśniku? – zapytał zduszonym z przejęcia głosem.

– A gdzie? – Rodzicielka rzuciła mu zdziwione spojrzenie. – Nie jestem Jasio Wędrowniczek, bo nie mam czasu na podróże. Ojciec się nigdzie nie ruszy, a samego go nie zostawię, bo z głodu zejdzie… W Kraśniku, na pewno. Tylko nie pamiętam, która to się tak zestroiła jak stróż w Boże Ciało… O, bo to chyba w kościele było – przypomniała sobie i dodała wyjaśniająco: – Ja nie na plotki do kościoła chodzę, ale czasem, jak ksiądz głupoty gada, żeby się nie denerwować w świątyni, wolę po bliźnich popatrzeć…

– Może sobie przypomnisz? – Oczy Tadzia błyszczały z przejęcia.

– No, nie wiem… – Pani Skotnicka pokręciła głową z powątpiewaniem. – Na pewno to była kobieta z naszej parafii, bo ja chodzę tylko do naszego kościoła… I chyba musiała mieć niezłe gabaryty. Pamiętam też, że na głowie także miała coś różowego… jakiś kapelutek albo coś w tym stylu… Jak ludzie szli do komunii, to ona wystawała… Nie, Tadziu, chyba nie skojarzę stroju z osobą. Ale pamiętam, że to było… oj, ze dwa lata temu, i że było wtedy gorąco. Latem jakoś…

– To już coś – mruknął podekscytowany syn i zgarnął zdjęcia. – Pójdę do siebie i trochę pomyślę, bo chyba… Zaraz… Mamo, wiesz może, skąd te nasze ciucholandy biorą towar?

– Podobno z zagranicy przywożą to, co tamci mieszkańcy na ulice wystawiają. – Matka wzruszyła ramionami. – Niektóre sklepy reklamują się, że mają towar z Niemiec, Holandii czy Wielkiej Brytanii… Bo ja wiem? Prawda, sama widziałam zagraniczne metki na ubraniach, ale nie zdziwiłabym się, gdyby brali do sprzedaży przechodzone rzeczy od swoich prywatnych znajomych. Kupują na kilogramy, to kto to sprawdzi? Kilo w tę, kilo we w tę… Albo od znajomych sklepów, które wycofują niesprzedany towar… Byle faktura była i papiery się zgadzały.

– Dzięki, mamo – powiedział Tadzio mechanicznie, bo jego umysł już absorbowało układanie planu na następny dzień.

W zasadzie policjantem był dwadzieścia cztery godziny na dobę (a przynajmniej tak uważał). Sklep z pewnością był jeszcze czynny i sierżanta pchała ciekawość, żeby dowiedzieć się wszystkiego jak najszybciej. Skotnicki jednak – pod mądrą opieką Szczęsnego – zdążył się już przekonać, że pośpiech nie zawsze jest dobrym doradcą. Lepiej będzie, jeśli dziś spokojnie przemyśli pytania, które jutro zada właścicielce interesu, i od razu zażąda pokazania dokumentacji.

Rozmowa z rodzicielką wskazała mu trop, o którym żaden z nich wcześniej nie pomyślał. Jeśli obie denatki miały na sobie lub przy sobie rzeczy pochodzące z tego samego sklepu i z tej samej dostawy, może to one właśnie są łączącym je ogniwem? A może mają jakiś związek z motywem?

Wyobraźnia Tadzia ruszyła z kopyta i nim wreszcie przed północą położył się spać, miał już wypracowanych kilka śmiałych teorii. Najbardziej mu odpowiadała ta, która sugerowała, że w sprzedanych różowościach zostało ukryte coś cennego i teraz zabójca uderza po omacku, z nadzieją, że w końcu uda mu się ukatrupić właściwą babę i trafić na poszukiwany łup.

Szczęsny zdążył przywitać się z Jerczykiem i usiąść przy ławie, ale zanim zdołał uprzedzić prokuratora, że Tadzio się spóźni na codzienną naradę, ten wpadł do gabinetu, jakby go furie ścigały. Na jego spoconym obliczu malowała się czysta satysfakcja z dobrze wykonanej roboty.

– Cześć pracy, panowie! – powitał kolegów i nie wytrzymał: – Motywu wam na talerzu nie podam, ale chyba znalazłem coś jeszcze, co łączy te zamordowane. Złapałem na razie nitkę i już kawałek za nią poszedłem. Jak dojdę do końca, powinienem znać nazwisko zabójcy!

Jerczyk i Szczęsny ożywili się i rzucili mu pełne nadziei spojrzenie.

– Siadaj, sierżancie! – Krzysztof wskazał mu miejsce, podsunął butelkę mineralnej i poprosił: – Mów, co przegapiliśmy.

Tadzio usiadł, łapczywie napił się wody, odetchnął głęboko i zaczął relację od rozmowy z matką, a potem przeszedł do dzisiejszej wizyty w sklepie z ciuchami.

– Przedstawiłem się grzecznie, choć mnie kobita i tak pamiętała, bo już wcześniej u niej byłem ze zdjęciem Gburkowej, a potem wypytywałem o Skórkę. No i zapytałem, gdzie kupuje towar na ten swój handel. Chyba jej trochę ciśnienie skoczyło, bo lekko się zapowietrzyła, ale zaraz się zakręciła, kawką poczęstowała i zaczęła opowiadać, że zawsze bierze towar z dwóch hurtowni lubelskich. Jedna oferuje ciuchy z Niemiec, druga – z Holandii i Belgii… Jakoś mnie to nie dziwi. – W oczach sierżanta pojawiły się złośliwe błyski. – Jest u nas kilka firm przewozowych, które obsługują te trasy. Nikt tego babie nie udowodni, ale wystarczy układ z przewoźnikiem, żeby ominąć hurtownię i zapłacić taniej. Tu jeden worek, tam drugi… Tak sobie pomyślałem, a głośno zacząłem wypytywać, jak ta współpraca wygląda. No i popłynęły jeremiady. – Tadzio przewrócił oczami. – Że biznes nieopłacalny, że fiskus ciśnie, że ZUS kosztuje, a obroty prawie żadne… Tyle że ja już byłem uzbrojony w wiedzę, którą przekazała mi mamuśka…

– Ale tam podobno tłumy są przy dostawach – zdziwił się Szczęsny. – Wiem, bo słyszałem od znajomej. Monika mówiła, że często jej się zdarza upolować jakiś markowy ciuch za grosze. Poza tym sklep już dobrych parę lat funkcjonuje, więc musi się babie opłacać ten biznes.

– A mnie matka mówiła, że i futra mają czasami. Podobno baby się na nie rzucają jak harpie, bo metki zachodnie – dodał Tadzio z pogardą. – Nie wiem, co im po tych metkach, jak na wierzchu nie widać.

– Ale psiapsiółce można się pochwalić – mruknął Jerczyk. – Ceny też nie widać, można podać każdą… Do rzeczy, Tadziu – ponaglił. – Czego się w końcu dowiedziałeś?

– Ona tak jęczała, bo podobno te worki z hurtowni to detaliści biorą w ciemno. Płacą za kilogram, a czort jeden wie, co jest w środku. Nieraz bywa, że jakieś szmaty do wy-rzucenia... Ale, wiecie, tak się rozejrzałem porządniej... Na babskich ciuchach to ja się nie znam, ale na tych wieszakach wisiały całkiem niezłe portki męskie, ze trzy porządne gar-nitury mi w oko wpadły, swetry, a już koszul – *skolko ugodno*. Wszystko sprzedają na sztuki, to chyba biedy nie ma, co? No i do tej skrzyni zajrzałem... Aż dziw, że tam jeszcze żadna klientka nie wpadła w ferworze zakupów, bo głębokie toto i trzeba nieźle grzebać, żeby znaleźć coś sensownego...

– To na wagę, tak? – upewnił się Łukasz. – I co tam jest?

– Ty zapytaj, czego tam nie ma! – prychnął Tadzio. – Stare, sprane ręczniki, co już chyba tylko do podłogi by się nadały, mocno zmęczone ścierki, jakieś paski, pojedyncze gacie, skarpetki nie do pary, nawet zapakowaną fabrycznie pieluchę wypatrzyłem... Buty też się trafiają, w różnym sta-nie... A, i obrusy, dziergane serwetki, no, cuda... I tak sobie pomyślałem – łypnął chytrze na kolegów – że w zasadzie wszystko można tu wetknąć. Bo klienci już wiedzą, że bar-dziej luksusowy towar wisi na wieszakach, a w skrzyni lą-dują odrzuty. Lewizna też pójdzie za parę złotych, a prze-cież nikt nie udowodni, że to nie z worków wyjęte.

– Zaraz... – Jerczyk zmarszczył brwi. – Podejrzewasz, że buty, sukienka i torebka pochodziły z jednego źródła? Z jednej dostawy?

– Podejrzewam – przyświadczył radośnie Tadzio i od razu się poprawił: – Podejrzewałem. Bo przycisnąłem kobitę i mam pewność. Jak mi matka powiedziała, że baby się ko-tłowały dwa dni nad tymi różowościami ze skrzyni, jak roz-poznała buty i uparła się, że kieckę widziała na innej babie tu w Kraśniku, dużo wcześniej, postraszyłem szefową tego interesu, że mam świadka, który przed sądem przysięgnie, że towar jest kradziony...

– Tadziu! – wyrwało się jednocześnie Jerczykowi i Szczęsnemu.

– Oj tam! – Niepokorny sierżant machnął lekceważąco ręką. – Grunt, że zadziałało. Baba się wystraszyła, że napuszczę na nią skarbówkę, ja od razu zmieniłem ton i zagrałem miłosiernego, współczującego gliniarza i w końcu wydusiła z siebie, że ma takiego gówniarza, który czasem jej podrzuca całkiem niezłe ciuchy. Twierdzi, że nie ma pojęcia, skąd je bierze, ale uznała, że po prostu podbiera z tych worków, co to je ludzie wystawiają przed klatki, jak jest zbiórka w mieście. W to już nie wnikałem, tylko zażądałem namiarów na chłopaka. Podziękowałem, wezwałem radiowóz, zgarnęliśmy cwaniaczka i przesłuchałem go na komendzie. Wszystko wyśpiewał, bo się wystraszył, że ojciec mu skórę złoi, jak się dowie. Dlatego się spóźniłem. A tu – zakończył z satysfakcją – macie podpisane zeznanie. – Przesunął po ławie papiery.

– Dobra robota, Tadziu – pochwalił Jerczyk i od razu zaczął czytać. Po chwili uniósł głowę i powiedział z niedowierzaniem: – A to cwana gapa. Czego to ludzie nie wymyślą, żeby parę groszy zarobić. Masz pojęcie, Łukasz, że ten smarkacz brał na robotę młodszego brata? Podnosił go, przytrzymywał za nogi i spuszczał do kontenera PCK, żeby młody dosięgnął zawartości. Mały rozdzierał worki w pojemniku i wyciągał co lepsze sztuki, potem to wtykali do torby i zanosili do sklepu.

Szczęsny błyskawicznie przeprowadził w myśli analizę uzyskanych informacji i spojrzał na zadowolonego sierżanta.

– Myślisz, Tadziu, że to jest powód, dla którego zamordowano te kobiety? Bo ktoś się pośpieszył i wyrzucił więcej, niż chciał, a teraz próbuje to odzyskać? Powiedzmy, że masz rację. Ja bym chciał wiedzieć w takim razie, skąd on wie, u kogo te rzeczy się znalazły.

– No, chyba właśnie nie wie i maca – odparł niepewnie Skotnicki.

– Nie o to mi chodzi. – Łukasz pokręcił głową. – Jeśli ktoś wyrzucił coś do pojemnika PCK, to naturalne by było, gdyby właśnie tam szukał. O kradzieży wiedzieli tylko jej sprawcy, czyli dwójka dzieciaków. Właścicielka sklepu już nie dociekała, skąd pochodzi towar. Więc...

– No właśnie – podchwycił prokurator. – Zabija kobiety, które legalnie kupiły te rzeczy w sklepie. Skąd wie które to? Przecież właścicielka sklepu nie zapisuje nazwisk kupujących?

– No nie... – Tadzio się stropił i nagle przyszła mu do głowy myśl, która sprawiła, że aż podskoczył. – Musiał je zobaczyć i rozpoznać te rzeczy!

– Tak i ja myślę. – Szczęsny pokiwał głową. – I coraz bardziej jestem pewny, że to któryś z tych dwóch: szklarz albo szewc.

– To dalej mamy zagwozdkę – westchnął Krzysztof. – Bo z przesłuchania wynika, że nasze złodziejaszki dokonały kradzieży gdzieś pod koniec kwietnia tego roku. Obaj podejrzani mogli sprzątać po swoich świętej pamięci małżonkach... Ciekawe, jak często te pojemniki są opróżniane...

– Co dwa tygodnie – poinformował pewnym głosem Tadzio. – Od razu sprawdziłem w firmie, która je opróżnia. Przy okazji dowiedziałem się, że PCK tylko użycza swoich kontenerów, a prywatna firma zabiera zawartość i ją sprzedaje.

– Jak to? – zdziwił się Łukasz.

– Ano tak, że ta firma płaci PCK za używanie kontenerów z ich logo, a potem towar pewnie sprzedaje do jakichś szmateksów albo hurtowni.

– Poczekajcie, chłopcy. – Prokurator Jerczyk niecierpliwie zabębnił palcami o blat ławy. – Tadziu, twoja matka mówiła, że widziała kogoś w tej sukience dwa lata temu. Jest tego pewna?

– Jest – oświadczył z mocą Tadzio. – Zapamiętała okoliczności, tylko osoby nie dała rady skojarzyć. Co znaczy, że jej nie znała.

– Niedobrze – mruknął Szczęsny. – Wychodzi na to, że przez tę osobę moglibyśmy dojść do mordercy. Trzeba by zrobić porządne zdjęcie tej kiecki i…

– Będziecie chodzić po Kraśniku i wypytywać, czyja to własność? – Prokurator się skrzywił.

– Ja tam mogę chodzić do skutku – oświadczył sierżant Skotnicki i oczy mu błysnęły złowrogo. – Ktoś sobie z nami pogrywa, a ja tego nie lubię. Dopadnę drania, choćbym miał sam włożyć tę kieckę i przeleźć przez całe miasto!

– Krzysztof! Czy ty masz kłopoty ze słuchem? – Furia w głosie Amy sprawiła, że Jerczyk natychmiast odsunął od siebie fotografie, które przeglądał w zaciszu domowego gabinetu, i spojrzał na żonę przepraszająco.

Po kilku latach małżeństwa przywykł do swojej temperamentnej połowicy i nauczył się poskramiać jej wybuchy. W zasadzie nawet je lubił, bo nie miał szans, by się w domu nudzić. Tylko on wiedział (no, może jeszcze Iza, najlepsza przyjaciółka Amy), że tak naprawdę pod płaszczykiem przebojowej kobiety ukrywa się wrażliwa, do bólu lojalna i kochająca Anna Maria.

Teraz, widząc skruszoną minę męża, Ama złagodniała i już bez złości, choć z rezygnacją w głosie, powiedziała:

— Wiem, że uwielbiasz swoją pracę i naprawdę to rozumiem. Wiem, że nie umiesz pracować na pół gwizdka, kiedy jakaś sprawa cię pochłania. Wiem, że nigdy nie przestaniesz przynosić do domu tych wszystkich papierów i ślęczeć nad nimi godzinami. Ale, na litość boską, człowiek nie żyje powietrzem! Od czasu do czasu musisz coś zjeść! Kolacja stoi na stole już od pół godziny, a ja od pięciu minut sterczę w drzwiach i usiłuję ci o tym powiedzieć. Gapisz się na te zdjęcia takim wygłodniałym wzrokiem, że właściwie powinnam się przestraszyć. Od kiedy to miejsce zbrodni stanowi przyjemniejszy widok niż własna ukochana żona? Może trzeba cię wysłać do psychologa?

— Gdyby to coś pomogło… — Krzysztof westchnął i wstał zza biurka. — To nie miejsce zbrodni, tylko fotografie rzeczy należących do tych zamordowanych kobiet. Kupiły je w sklepie z używanymi ciuchami. Próbujemy ustalić, do kogo należały wcześniej… Przepraszam, moja ukochana własna żono — odparł i uśmiechnął się z wysiłkiem. — Bardzo mnie gnębi ta sprawa... Już idę. Co mamy dobrego na kolację?

Anna Maria Jerczyk, z domu Rozbicka, nieodrodna córka swojej inteligentnej, przebojowej matki, przyjrzała się z uwagą znękanemu małżonkowi, który nieudolnie usiłował demonstrować dobry humor, i popchnęła go z powrotem na fotel za biurkiem.

– O kolacji pogadamy za chwilę. Wytrzymała tyle, wytrzyma jeszcze trochę... To jakaś straszna tajemnica służbowa czy możesz mi te zdjęcia pokazać? Kobiety to moja specjalność, jak wiesz. Przychodzą do mnie tabunami z nadzieją na poprawienie urody i cudowne powstrzymanie starzenia. Mam pamięć do twarzy, może ci jakoś pomogę?

– Ama, nie o twarze chodzi w tym przypadku. – Krzysztof podsunął żonie trzy zdjęcia. Widniały na nich różowe szpilki, różowa sukienka i torebka w tym samym kolorze. – Szukamy pierwszej właścicielki tych rzeczy. Nie jestem pewny, czy kobieta z tak wypaczonym gustem trafiłaby do twojego salonu.

– Jezusie, Maryjo, jak powiada Wanda – mruknęła Anna Maria, wzdrygnąwszy się z obrzydzenia. – Co za kicz... Ale nie łudź się, mój drogi. Trafiłaby z pewnością. Bezguścia to przeważnie bogate snobki mocno przewrażliwione na punkcie urody. U mnie mają dwa w jednym – nie tylko dostają poradę dermatologiczną, lecz także przy okazji dowiadują się, jaki makijaż jest dla nich odpowiedni i jakich kosmetyków powinny używać... Wiesz, buty mogłam wyrzucić z pamięci, bo z reguły skupiam się na twarzy, ale ta kiecka dziwnie do mnie przemawia... – Ama zawiesiła głos, przyglądając się uważnie zdjęciu. – Mam wrażenie, że widziałam takie różowości w większej masie.

– W większej? – powtórzył Krzysztof słabo i też się wzdrygnął. – Dla mnie już te trzy rzeczy na jednej osobie tworzą większą masę...

– Tak? – Ama uniosła brwi i spojrzała na niego z politowaniem. – To niewiele w życiu widziałeś, mój drogi. Baba mogła mieć jeszcze różowe korale, kolczyki, bransoletkę, okulary przeciwsłoneczne w różowych oprawkach, wdzianko albo sweterek... Wiesz... – Urwała raptownie i popadła w zadumę. – Jestem pewna, że widziałam na kimś taką orgię różowości... Obiecuję, że jak znajdę chwilę, przejrzę kartoteki w salonie. Może skojarzę kolor z osobą... A swoją drogą... – puknęła palcem w zdjęcie, na którym widniała różowa sukienka – to mi nie wygląda na masówkę. Po pierwsze – fason strasznie wydumany, a po drugie – szycie nie jest fabryczne. Podejrzewam, że to może być produkcja jakiejś kraśnickiej krawcowej na indywidualne zamówienie klientki.

– To może powinniśmy sprawdzić zakłady kra...

– Krzysiu, wiesz, ile bab szyje albo przerabia ciuchy u znajomych krawcowych? Jak już mają własną, trzymają się jej pazurami. Szukanie nic ci nie da. Może i niektóre mają zarejestrowaną działalność, jak teściowa Izy na przykład, ale o istnieniu większości z nich skarbówka nie ma pojęcia... Dobra. Obiecuję, że spróbuję sobie przypomnieć, do kogo należały te straszne różowości, ale teraz odłóż to i chodźmy wreszcie coś zjeść. Przywiozłam żarcie od Wandy. Dobierz tylko porządne wino do niego, bo zasługuje...

— Jak już znajdę trochę czasu, żeby sobie przypomnieć o czymś, co się nazywa „życie towarzyskie", przeprowadzę solidną czystkę wśród swoich znajomych – oznajmił ponuro Tadzio, przykładając zimną butelkę wody mineralnej do spoconego czoła. – Wyleci każdy, kto będzie miał przy sobie coś różowego. Mdli mnie od tego koloru – jęknął. – Jeszcze trochę i sam zacznę dusić!

— Chyba cię rozumiem – westchnął prokurator, stawiając przed gośćmi wiaderko z kostkami lodu wyjęte przed chwilą ze służbowej lodówki. – Wczoraj o mały włos nie zelżyłem teściowej, bo zrobiła sobie różowe pasemka. Normalnie nie zwróciłbym na to uwagi, ale teraz wszystko mi się kojarzy...

— Rozumiem, że w tym pokoju jeszcze tylko ja jeden jestem normalny? – Szczęsny się uśmiechnął. – Zdjęcia mają dobrą rozdzielczość, więc je sobie zeskanowałem, wydrukowałem i dałem Luce, żeby pokazała w redakcji...

— Niech tego nie puszczają do gazety! – Jerczyk rzucił mu ostre spojrzenie. – Nie chcę, żeby morderca wiedział, że podchodzimy coraz bliżej.

— Nie puszczą – uspokoił go Łukasz. – Oni tam bywają w różnych miejscach, rozmawiają z różnymi ludźmi, może coś skojarzą. Czasem takie nieoficjalne poszukiwania dają lepsze rezultaty niż drobiazgowe śledztwo. Może zdążymy, zanim zabójca uderzy po raz kolejny – westchnął.

Sierżant i prokurator prawie podskoczyli na te słowa.

— Dać tym dwóm aniołów stróżów – oświadczył stanowczo Tadzio. – Jednego sam mogę pilnować. Mam wprawę.

– Chętnie bym dał areszt domowy temu upiornemu kocurowi – mruknął jednocześnie Jerczyk. – Jak nie łazi na tę
cholerną łączkę, to nic się nie dzieje… Naprawdę myślisz, że
Nerwus znowu zabije?

– Ja już wolę nic nie myśleć, żeby nie prowokować losu –
wyznał Szczęsny. – Rozmawiałem dziś rano z Wernerem.
Szef jest pewien, że facet nie odpuści. Nie mamy tylu ludzi,
żeby tych dwóch pilnować przez dwadzieścia cztery godziny
na dobę. Ustaliliśmy, że na Cichą częściej będą zaglądały patrole. W nocy też.

– Ale ten cholernik w biały dzień zabija! – nie wytrzymał
Tadzio.

– Dlatego Werner chce, żeby jeden radiowóz regularnie
patrolował tę ulicę. Chłopaki mają przejeżdżać co pół godziny… No, nie da rady inaczej! – Podniósł głos, widząc scep-
tyczne spojrzenie kolegi. – Sam wiesz, że nam ludzi brakuje
do wszystkiego. W dodatku zaczyna się sezon urlopowy…
Na tej uliczce prawie nie ma ruchu. Jeżdżący z taką często-
tliwością radiowóz rzuci się w oczy każdemu. Może gość się
przestraszy i przyczai, a my zdążymy złapać trop.

– Oby – mruknął prokurator. – Bo kolejne morderstwo
wywoła panikę w miasteczku. I da argumenty tym, których
Werner na stołku komendanta kłuje w oczy.

Dwaj posterunkowi: Ryszard Wątły, alias Gruby Rycho,
i Romek Styrbuła, zwany w skrócie Bułą, nie mieli nic przeciwko patrolowaniu osiedla domków. Zawsze lepiej było

zejść z oczu nowemu komendantowi i siedzieć w samochodzie, niż dusić się w ciasnych pomieszczeniach kraśnickiej komendy i udawać, że coś się robi.

Szczególnie zadowolony był posterunkowy Styrbuła. Jego dziadek i ojciec niegdyś służyli w milicji. Od małego Romek wysłuchiwał opowieści, jak to wszyscy schodzili z drogi „panu władzy", a zwykła pałka wzbudzała respekt w każdym chuliganie. Ponieważ bardzo chciał kontynuować rodzinną tradycję, ojciec – korzystając z dawnych znajomości – załatwił mu skierowanie na kurs, po ukończeniu którego były komendant przyjął go do pracy. Co prawda Romek szybko się rozczarował, bo wcale nie było tak pięknie, jak opowiadali obaj protoplaści. Dziś pałka nic nie znaczyła, a rozwydrzone młodociane towarzystwo okazało się niespecjalnie bojaźliwe – napici czy naćpani smarkacze sądzili, że mają patent na nieśmiertelność i nieograniczone prawa obywatelskie. Poprzedni komendant szybko się połapał, że młody Styrbuła nieszczególnie sobie radzi przy interwencjach, i posadził go w dyżurce, by przyjmował zgłoszenia. Zajęcie bardzo Romkowi odpowiadało – czuł się ważny, kiedy odbierał telefony od poszkodowanych kraśniczan, a potem składał meldunek szefowi i w jego imieniu przekazywał dyspozycje kolegom z patroli.

Szczęście się skończyło, gdy nastał nowy komendant. Przyjrzał się pracy swoich podopiecznych i ustalił nowy grafik, z którego wynikało, że każdy po kolei musiał odpracować swój przydział patroli w miesiącu. Tym razem Romkowi się udało – dzienne patrole na osiedlu domków gwarantowały pełny luz. Co prawda szef na odprawie kazał im zwracać szczególną uwagę na ulicę Cichą i reagować natychmiast, gdyby zauważyli coś podejrzanego w okolicy obu warsztatów, ale posterunkowy uznał to za przesadę. Powiedział o tym koledze.

– Ty głupi jesteś, Buła, wiesz? – odparł z politowaniem Gruby Rycho. – Nic nie kumasz. To zaraz za tymi warsztatami znaleźliśmy te dwie zamordowane kobity. Słyszałem, jak Łukasz rozmawiał z Brożkiem. Podobno w dzień zginęły. Ktoś je udusił. Na ulicy chyba…

– To skąd się wzięły za warsztatami, mądralo? – Romek bardzo nie lubił, gdy ktokolwiek powątpiewał w jego inteligencję.

– A to tak trudno zwłoki przenieść? Ja bym tam bez problemu… – Zwolnił, bo siedział za kierownicą służbowego radiowozu, i napiął muskuły.

– No, dobra, ale co to ma być to podejrzane? – chciał wiedzieć Romek.

– Jakbyś zobaczył, że jakiś facet startuje znienacka do kobitki, to od razu reagujemy – wytłumaczył mu po namyśle Gruby Rycho. – Albo jak ktoś dźwiga podejrzany pakunek. Bo, wiesz, ciało można wetknąć w dywan…

– Jak na filmach! – wyrwało się Romkowi.

– …albo w jakieś pudło czy walizkę…

– Rychu! Patrz! – Posterunkowy Styrbuła podskoczył na siedzeniu i wskazał palcem młodą dziewczynę, która szła chodnikiem, ocierając pot z czoła i ciągnąc za sobą sporych rozmiarów walizkę na kółkach.

Rycho spojrzał i wzruszył ramionami.

– Buła, wyluzuj. Jeszcze nawet do domków nie dojechaliśmy. Tu jest główny przystanek, pewnie dziewczynina wróciła do domu na wakacje… Cholera, zgłodniałem od tego jeżdżenia.

– To zawróć, co? Podjedziemy pod najbliższą knajpkę i weźmiemy pizzę na wynos. Też bym coś zjadł. Robota nam nie ucieknie…

– Dalej stoimy w miejscu – odpowiedział z niechęcią Łukasz na pytanie żony, nie przestając przesuwać pędzlem po starannie wcześniej doczyszczonych sztachetach ogrodzenia. Uznał, że musi sobie znaleźć jakieś odmóżdżające zajęcie, by choć na chwilę przestać myśleć o sprawie, która nie dawała mu spokoju. – Wszyscy już mamy dość. Werner ciągle jeszcze nas nie pogania, choć mam wrażenie, że Lublin zaczyna powoli naciskać.

– To dobrze, że wreszcie macie szefa, który potrafi bronić was, a nie swojego stołka – stwierdziła Luka, podając mu szklankę z zimnym kompotem.

Szczęsny przerwał malowanie, przełożył pędzel do drugiej ręki, wypił duszkiem napój i spojrzał na żonę posępnie.

– Dobrze – przyznał. – Ale z drugiej strony czujemy się coraz gorzej, bo nie chcemy go zawieść. Pierwsza sprawa pod jego okiem i od razu mamy dać ciała? Zaczynam mieć już obsesję na punkcie tego śledztwa. I nie tylko ja. Krzysztof codziennie męczy Amę, żeby sobie przypomniała, na kim widziała wcześniej tę sukienkę, w której znaleziono pierwszą ofiarę, a Tadzio magluje matkę...

– To z tobą jeszcze nie jest tak źle, bo tylko raz mnie zapytałeś, czy czegoś się dowiedziałam – pocieszyła go Luka.

– Może...

– Na razie zwiększyliśmy liczbę patroli – przerwał jej Łukasz, zawzięcie malując kolejną sztachetę. – Mamy nadzieję, że się przestraszy i przystopuje, a my w międzyczasie znajdziemy sposób, żeby wyeliminować jednego z podejrzanych.

– Rozumiem. – Luka skinęła głową ze współczuciem. – Ale sam mówiłeś, że macie tylko poszlaki. Jak mu cokolwiek udowodnicie?

– Może uda nam się znaleźć jakieś mikroślady? – rozmarzył się Szczęsny. – Albo uzyskać przyznanie się do winy? Werner powiedział, że jak już wytypujemy mordercę, podpowie nam, jak go przesłuchać. Krzysztofa bardzo ucieszyła ta obietnica, bo dowiedział się swoimi kanałami, że ten nasz boss jest specjalistą od trudnych przesłuchań. Podobno kończył jakieś amerykańskie kursy... Tylko, cholera ciężka, najpierw musimy mieć trafienie! A ten Nerwus – żeby go szlag trafił – wywija się jak piskorz!

– Dlaczego: Nerwus? – zdziwiła się Luka. – Jeśli zabił dwie kobiety i nie zostawił śladów, musi mieć chyba nerwy jak postronki?

– Laboratorium znalazło ślady kropli walerianowych na rzeczach należących do obu denatek. Ponieważ w treści żołądkowej ich nie było, doszliśmy do wniosku, że to zabójca ich używał... Wiesz, jak rozwiążemy tę sprawę, wezmę urlop i pojedziemy gdzieś w Polskę. Chcesz?

– Pewnie, że chcę! – Żona pogładziła go ramieniu. – Musisz odpocząć, bo ostatnio nawet moja matka woli schodzić ci z drogi...

Już czerwiec pokazał, co potrafi, ale początek lipca zaatakował kraśniczan falą prawdziwie tropikalnych upałów. W parku przy Smoluchu fontanna była oblegana przez dzieciaki i spragnione gołębie, a wszystkie ławki w jej pobliżu zasiedlały młode mamuśki i opiekujące się wnukami babcie.

Przy głównym przystanku, obok wjazdu do dzielnicy domków, władze miasta zdecydowały się postawić kurtynę wodną, ku której ciągnęły głównie rozchichotane nastoletnie dziewczątka.

Życie chodnikowe wprawdzie w mieście nie zamarło, ale starsze pokolenie wolało odpracować zakupy w godzinach rannych, młodzież zaś uaktywniała się wieczorem, kiedy słońce przestawało tak mocno prażyć. Tylko przyblokowe ławki stojące w cieniu okupowały ich stałe lokatorki, czyli stateczne babki Polki, specyficzny gatunek, odporny na wszelkie anomalie pogodowe.

Gruby Rycho i Buła zgodnie uznali, że mają niesamowity fart, i z dużym zaangażowaniem codziennie wyrywali z komendy na kolejny patrol. Radiowóz miał klimatyzację, na osiedlu panował niczym niezmącony spokój, w każdej chwili mogli sobie zaordynować małą przekąskę, gdyby zgłodnieli, czy kupić coś do picia – żyć, nie umierać. Ponieważ mieli przykazane, by na Cichej pojawiać się co pół godziny, od czasu do czasu parkowali w jakimś zacienionym miejscu i odpoczywali, bo jednak ich męczyło tak monotonne zajęcie, a musieli dotrwać do osiemnastej – wtedy wachtę przejmowała nocna zmiana.

Zbliżała się siedemnasta, kiedy Romek dojrzał idącą chodnikiem dwójkę dzieciaków pożerających ogromne porcje lodów. Mimowolnie oblizał się na ten widok i spojrzał błagalnie na kolegę.

– Rychu! Podjedź do tej lodziarni przy parku!

– Wytrzymaj, Buła! – warknął Gruby Rycho, choć prawie mu ślinka pociekła na samą myśl o zimnych lodach. – Jeszcze godzinka i sam se...

– Po tej godzince będę musiał podpisać papiery, że zdajemy samochód, dymać na przystanek i zapylać do domu! Myślisz, że będzie mi się chciało cofać do lodziarni i sterczeć w kolejce? – rozzłościł się Romek. – No, co ci zależy? Ja funduję – kusił. – Spokojnie obrócimy w kwadrans, jeszcze zdążymy z raz objechać całe osiedle, nie tylko Cichą.

– No dobra – skapitulował Rycho. – Jedziemy. Kupisz mi największe, w podwójnym waflu. Zabajone i pistacja.

Kiedy wyjeżdżali z Cichej, do jednego z warsztatów wchodziła właśnie młoda blondynka.

Konstanty Szklarski spał mocno jak niewinne dziecię po zażyciu solidnej dawki waleriany. Pił ją każdego wieczora, ponieważ obawiał się, że chodząc po domu w lunatycznym śnie, spadnie ze schodów lub wyleci przez okno. Może by się nie zabił, ale z pewnością mógł sobie to i owo uszkodzić. Nie miałby kto go doglądać, albowiem ukochana Bożenka nie żyła, a panicznie bał się wpuścić do domu jakąkolwiek obcą kobietę. Wystarczy, że płeć nadobna, dowolnego wieku i rozmaitej urody, nachodziła go w warsztacie, czyniąc współczujące aluzje na temat jego wdowieństwa. Nie zamierzał żenić się po raz kolejny. Zbyt wiele kosztowała go utrata Bożenki. Wszystko w domu mu ją przypominało. Wciąż miał przed oczami jej świeżą, uśmiechniętą twarz, wciąż pamiętał charakterystyczny ciężki zapach jej perfum... To dlatego pewnego dnia podjął wreszcie najtrudniejszą decyzję w swoim życiu: spakował ubrania po małżonce w worki i wywiózł do kontenerów PCK. Nie był w stanie na nie patrzeć bez żalu.

Konstanty spał, pochrapując i uśmiechając się błogo, bo śniła mu się Bożenka. Nie miała na sobie, na szczęście, tej okropnej czarnej sukienki, którą na ostatnią drogę wybrała jej matka, tylko ulubione różowości. Kiwała na niego ozdobioną różowymi paznokciami dłonią i kusicielsko szeptała:

– Chodź do mnie, Kociu. Tak mi tu źle bez ciebie... Chodź, będziemy razem na zawsze...

I Konstanty już miał wyciągnąć do niej rękę, gdy dotarło do niego, że wcale nie ma ochoty, by to „zawsze" rozpoczęło się już teraz. Przeciwnie. Czuje się jak najbardziej na siłach, by jeszcze trochę pożyć. Zwłaszcza że czekał go ogrom pracy, bo klientela (szczególnie damska) ostatnio dopisywała. Próbował wytłumaczyć Bożence, że musi najpierw odpracować zobowiązania, których się podjął w ramach usług, ale

ona nagle wpadła w złość, złapała go za ramię i zaczęła po-
pychać ku bramie cmentarza.

– Nigdzie nie pójdziesz! Masz zostać ze mną, bo mnie
się tu nudzi!

Przerażony Konstanty zaczął się szarpać, próbując wyrwać się z kleszczowego uścisku małżonki. Gwałtownie
usiadł na łóżku, machając rękami, jakby się oganiał przed
rojem pszczół, i wreszcie obudził się z koszmaru. Otworzył
zaspane oczy, wziął głęboki oddech, by się uspokoić, i postanowił zejść do kuchni, żeby zażyć kolejną dawkę waleriany,
z nadzieją, że resztę nocy prześpi bez dodatkowych atrakcji.

Na trzęsących się nogach zszedł na parter, usiadł na
ostatnim schodku i zaczął głęboko oddychać. Kiedy nieco
oprzytomniał, ze zdumieniem zobaczył przed sobą parę męskich sportowych butów. W butach, ani chybi, tkwiły nogi,
ale – nim zdążył zidentyfikować ich właściciela – poczuł
bolesne uderzenie w podbródek i osunął się na schody jak
worek kartofli.

– Rozstawiłem leżaki pod tą dużą śliwą – oświadczył zadowolony z siebie Sławek. – Tą przy bocznej ścianie. Widoki będziemy mieli przyjemne, bo żywopłot zdecydowanie
zmienił emploi…

– Tyle że ego mu chyba trochę siadło – wtrąciła nieco
uszczypliwie Marylka, którą mąż przez tydzień doprowadzał do szału, bo każdą wolną chwilę poświęcał na znęcanie
się nad rzeczonym żywopłotem, tnąc, przycinając i strzy-

gąc, w wyniku czego z wystającego ponad ogrodzenie gąszczu została połowa.

– Ego? Dlaczego? – zdziwił się Sławek.

– Bo jakoś skarlał po tych twoich postrzyżynach.

– Odrośnie i jeszcze zobaczysz, jak mi podziękuje za te godziny, które przy nim spędziłem – odparł Lipski z dumą.

– Ja w ogóle mam zamiar porządnie przyłożyć się do pracy w ogrodzie. Jesienią poprzycinam te róże, co twoja ciotka posadziła, bo trochę zdziczały, i krzewy ozdobne posadzę, i klomb zrobię przed domem…

Marylka spojrzała na niego ze zgrozą.

– Sławciu – powiedziała słabo – a jesteś pewien, że jak ty się porządnie przyłożysz, to z tych róż jeszcze coś zostanie? Bo żywopłot to naprawdę udało ci się zminimalizować.

– Oj tam! – Pełen satysfakcji małżonek zbył jej wątpliwości machnięciem ręki. – Odrośnie i będzie wreszcie wyglądał jak trzeba. Przedtem był zapuszczony i nieszczęśliwy. A o róże się nie martw. Maminka mi pokaże, jak się je przycina.

– Chyba że tak. – Marylka odetchnęła z ulgą i rozejrzała się niespokojnie. I zawołała: – Belzebub! Chodź, kiciu! Idziemy na dwór! Pobiegasz sobie po ogrodzie!

Po chwili od strony wiodących na piętro schodów dobiegł łomot i w pokoju pojawił się kocur, trzymając w pyszczku swoją ukochaną welurową mysz, zwaną przez Marylkę rekinkiem, bo dowcipny producent ozdobił jej mysie oblicze wielkimi zębami.

– Tylko jej nie zgub, bo potem będę musiał szukać – uprzedził Lipski, rzucając mu ostrzegawcze spojrzenie.

Belzebub w odpowiedzi łypnął na niego pogardliwie i podszedł do Marylki, by założyła mu szeleczki. Sławek tymczasem zajrzał do kuchni, żeby zaopatrzyć się w napoje i jakąś przekąskę. Zamierzał spędzić na powietrzu tyle czasu, ile się da, dopóki upał nie zapędzi go do domu. Sama świadomość, że może zażywać sobotniego relaksu we własnym ogrodzie, bez obecności wścibskich oczu i bez konieczności dostosowywania swoich potrzeb do wymagań otoczenia, napawała go błogością. Jeśli zabraknie prowiantu, nie będzie musiał sterczeć w rozgadanej, agresywnej kolejce, tylko wejdzie do domu i weźmie to, na co będzie miał ochotę. Doprawdy, czy człowiek może chcieć od życia czegoś więcej?

Marylka nie czekała na małżonka, bo Belzebub się niecierpliwił. Pośpiesznie założyła kotu spacerowe oprzyrządowanie i wyszła przed dom.

Kocur, nie wypuszczając myszy z pyszczka, rozejrzał się po włościach należących do jego terenu i dostrzegł nowy element, którego wcześniej nie było. Należało go dokładnie obejrzeć i zaakceptować bądź też dać dwunożnym do zrozumienia, że jest tu zbędny.

Marylka poluzowała smycz i przysiadła na ławce, pozwalając pupilowi na swobodne poruszanie się na terenie posesji. Kot natychmiast powędrował do kąta przy schodkach wejściowych, gdzie wabiła soczystą zielenią sporych gabarytów plastikowa konewka ozdobiona wizerunkiem żaby z wybałuszonymi oczami. Na Belzebubie aparycja płaza nie zrobiła żadnego wrażenia, bo interesowała go zawartość dziwnego pojemnika. Podszedł bliżej, wsparł się przednimi łapami o brzeg konewki i zajrzał do środka. Ciecz, która ów środek wypełniała, nie wydała mu się odpychająca i nie woniała niczym szczególnym poza specyficznym odorkiem sztucznego tworzywa. Kiedy Belzebub wyciągnął łapę, by osobiście sprawdzić, czy zawartość pojemnika nadaje się do konsumpcji, mysi rekinek wypadł mu z pyszczka, przez chwilę kołysał się na powierzchni, po czym powolutku zaczął tonąć. Belzebub się zirytował, fuknął i rzucił mu się na ratunek, usiłując zahaczyć zabawkę pazurem, ale już była za głęboko. Nie miał wyjścia, musiał do pomocy zatrudnić dwunożnych.

– Jezusie, co się stało?! – Na rozpaczliwy wrzask ulubieńca Marylka zerwała się z ławki i runęła ku niemu. Złapała go na ręce, poszukując ewentualnych obrażeń. – Co ci… – Kocur jednym szybkim ruchem wywinął się z jej objęć i dopadł konewki, usiłując uświadomić tępej ludzkiej istocie rangę problemu. – Nie pij tego, kiciu! Cholera wie, co Sławek tu… – Marylce oczy prawie wyszły z orbit, gdy zobaczyła żabi konterfekt. – Co to za potwór jakiś… Belzebub, odsuń się, błagam, bo ci zaszkodzi!

– Czemu tak krzyczysz? – zainteresował się Lipski, który właśnie zszedł ze schodków, dzierżąc przed sobą zastawioną bogato wiktuałami niską skrzyneczkę. Znalazł ją kiedyś w garażu, doprowadził do porządku i właśnie uznał, że świetnie nadaje się na tacę dla nieporadnych męskich rąk.

Żona nie zwróciła na niego uwagi, bo nagle dotarło do niej, co tak zdenerwowało pupila. Odsunęła szalejącego kota od konewki i wetknęła do niej rękę aż po łokieć.

– Już. Już wyciągam – powiedziała uspokajająco. – Widzisz, kiciu, rekinki lubią pływać, ale ten twój niekoniecznie.

On ma gąbkę w środku. Nie wrzucaj go tam, bo zawsze uto-
nie. Takie myszowate rekinki nie przepadają za wodą... –
Wreszcie udało jej się wydobyć zabawkę. Wycisnęła ją porządnie i podała kocurowi, który natychmiast złapał ją
w zęby i pognał z łupem w trawę. Obejrzała się za nim,
mocniej chwyciła smycz i wstała. – Sławuś, dlaczego kupiłeś
konewkę z taką straszną żabą? – zapytała męża stawiają-
cego właśnie prowiant na niedawno nabytym ogrodowym
stoliku.

Lipski odwrócił się, popatrzył na konewkę, której niety-
powa uroda tak zadziwiła małżonkę, i wzruszył ramionami.

– To nie żaba. To jest sympatyczna ropuszka, bardzo pożyteczna w ogrodzie.

– Uważasz, że kiedy nikogo nie będzie w pobliżu, zlezie
z tej konewki i zacznie być pożyteczna? – zainteresowała się
Marylka nieco zjadliwie. – Nie obraź się, ale wygląda strasznie.

– A co? – rozzłościł się Sławek. – Miałem kupić konewkę
z muchomorkiem? Albo z różowym słoniem? Sorry, ropuszka mi bardziej pasowała.

– No, przy takim wyborze... – zgodziła się Marylka. –
Może rzeczywiście. Choć ta twoja ropuszka też jest rzadkiej
urody... O, widzę, że zamierzasz spędzić sobotę na słodkim
nieróbstwie. – Wymownym wzrokiem obrzuciła zawartość
skrzyneczki. – Długo tu nie posiedzisz, kochany. Jak słońce
zacznie palić z tej strony, będziesz musiał uciekać do domu,
żeby się nie usmażyć... Wiesz – usiadła na ogrodowym
krzesełku – ja chyba dzisiaj chłodnik zrobię na obiad. Zdaje się, że niczego innego nie da się przełknąć przy tej tem-

peraturze… Belzebub! Nie wolno! – Pośpiesznie ściągnęła smycz, bo ledwo rozległ się głos jakiegoś pierzastego wizytanta, który na chwilę przysiadł na balustradce przy wejściu, z trawy wyprysnęła czarna błyskawica.

Ptak nie czekał na atak i śmignął do góry, a obrażony kocur łypnął na Marylkę z urazą, zawinął dumnie ogonem i dostojnym krokiem ruszył za dom.

– No i masz – westchnęła. – Już sobie posiedziałam…

Wstała niechętnie i posłusznie podreptała za kotem. Sławek odprowadził ją wzrokiem, nalał sobie zimnego kompotu z wielkiego termosu i rozparł się wygodnie. Ogarnął go absolutny błogostan. Przez głowę przemknęła mu myśl, że chyba nawet w raju nie czułby się szczęśliwszy.

Nie miał pojęcia, że za chwilę jego sielanka zostanie brutalnie przerwana.

Malwina Pędziwiatr, teściowa aspiranta Szczęsnego, od rana nie mogła znaleźć sobie miejsca. Nosiło ją.

Gdyby to nie był pierwszy dzień lipca, tkwiłaby z pewnością w swoim miejscu pracy i układała menu na kolejny tydzień. Domowe Jedzenie, czyli sklepik i minibar w jednym, miało się świetnie, a liczba klientów, którzy wzajemnie polecali sobie tanie i smaczne zestawy obiadowe, rosła jak na drożdżach. Kraśnik się starzał – młodzi uciekali z miasta, bo z pracą było krucho, starsi zaś nie zawsze radzili sobie ze swoim podeszłym wiekiem. Większość samotnych wolała kupować gotowe jedzenie, a to sprzedawane w sklepiku

Malwiny było zawsze świeże, smaczne, niedrogie i każdy mógł wybrać coś dla siebie. Właścicielka biznesu była bowiem kucharką z powołania, a przy tym wymagającą szefową i perfekcjonistką. Metodą prób i błędów udało jej się skompletować personel, który akceptował jej wymagania, pracę w Domowym Jedzeniu traktując jak gwiazdkę z nieba. Malwina płaciła terminowo, uczciwie i była sprawiedliwa. Interes kwitł, przynosił zysk, było tylko jedno małe ale – zdarzające się od czasu do czasu słowne przepychanki z kłótliwymi klientkami (bo głównie starsze panie miewały niekiedy przedziwne pretensje) nie dawały Malwinie tego zastrzyku adrenaliny, jakiego dostarczały dawniej starannie zaplanowane z gronem przyjaciół akcje. Dlatego lubiła podpytywać zięcia policjanta o prowadzone sprawy. Na spotkaniach z przyjaciółkami zdawała im relację, a potem we trzy rzewnie wspominały własną finezję przy karaniu przestępców i komentowały prostactwo kraśnickich rzezimieszków.

Od pewnego czasu Malwina obchodziła jednak zięcia z daleka i na paluszkach, bo zauważyła, że każde, najbardziej niewinne pytanie na temat obecnie prowadzonego śledztwa sprawia, że Łukasz pochmurnieje i zamyka się w sobie. Darzyła zięcia sympatią. Nie zamierzała go stresować, ale też nie miała zamiaru odpuścić. Lubiła być dobrze poinformowana, a w całym Kraśniku aż huczało na temat damskiej hekatomby. Dwie nieboszczki po kolei składowane z uporem w tym samym miejscu, jakby innych, atrakcyjniejszych przyrodniczo i dostępnych szerszej publiczności nie było, przydarzyły się w mieście po raz pierwszy i, prawdopodobnie, ostatni. Malwina była spragniona informacji na ten temat jak kania dżdżu i chciała je zdobyć u źródła. Doszła do wniosku, że nawet jeśli Łukasz nie chce rozmawiać na ten temat z osobami postronnymi, do żony z pewnością co nieco mu się wyrwie. Należało tylko mieć oczy i uszy otwarte oraz w odpowiednim momencie być w pobliżu źródła nadawania. Plątała się zatem bezszelestnie po domu, mozolnie zbierając skąpe wiadomości i na ich podstawie wysnuwając własne wnioski.

Kiedy Łukasz poprosił Lukę, by pokazała w redakcji zdjęcia, które przyniósł ze sobą, Malwina wreszcie dostrzegła szansę na działanie. W końcu była dobrą teściową. Musiała pomóc zięciowi. Kto wie, może chłopak awans dostanie?

Kręcąc się po pokoju pod pretekstem jakichś czynności porządkowych, uważnie obserwowała, gdzie córka owe zdjęcia schowa, i odetchnęła z ulgą, gdy Luka włożyła je do leżącej w hallu kartonowej teczki, w której nosiła rozmaite wydruki potrzebne jej do artykułów. Zawartość teczki przeważnie służyła jako argument w dyskusji z szefem „Echa Kraśnika", który dość podejrzliwie traktował wszelkie nośniki elektroniczne, ale ufał słowu pisanemu (bądź drukowanemu).

Malwinę swędziały ręce, ale rozsądnie odczekała, aż dzieci pójdą spać. Sama została na dole, upierając się, że musi obejrzeć kilka programów informacyjnych, by wyrobić sobie pogląd na to, co dzieje się w kraju. Drżąc z niecierpliwości, odczekała pół godziny, po czym po cichutku wydobyła zdjęcia; starając się nie czynić hałasu, zeskanowała je i wreszcie mogła, z poczuciem dobrze spełnionego obowiązku, sama zażyć odpoczynku. Nie zażyła, bowiem najpierw przez kwadrans wpatrywała się w skany jak sroka w gnat i lżyła gust obu denatek, w nocy zaś śniły jej się wielkie różowe szpilki, które goniły ją po strasznych wertepach, powiewając przyczepioną do klamerki upiornie różową torebką. W efekcie następnego dnia poszła do pracy zła i niewyspana, z przykrą świadomością, że jej nowo nabyta wiedza będzie się marnować do soboty, bo dopiero wtedy Eliza i Lala mogły uczestniczyć w spotkaniu towarzyskim.

Nadeszła sobota. Malwina już telefonicznie poinformowała, że przybędzie z wizytą koło południa. W tej chwili pakowała starannie przywiezione z Domowego Jedzenia wiktuały, by nie zjawić się z pustymi rękami, a przy okazji rozprowadzić zapasy, które się nie sprzedały. Zamrażarka u Szczęsnych była już dokumentnie zapchana, resztę jedzenia Malwina wepchnęła swoim pracownicom, bo musiała opróżnić sklep. Co roku pierwszego lipca zamykała interes na miesiąc, personel wysyłała na urlop, sama zaś razem z Elizą Barnabą, licealną przyjaciółką, ruszała w Polskę. Trasę ustalały dwa miesiące wcześniej, rezerwowały noclegi i zwiedzały miejsca, które je interesowały. Zaliczyły w ten sposób Bieszczady i Kotlinę Kłodzką, a w tym roku zamierzały uświetnić swoimi osobami Warmię i Mazury.

Czasu było mało – w poniedziałek miały wyjechać. Jeśli zatem Malwina chciała wspomóc zestresowanego zięcia, musiała to zrobić w ciągu dwóch dni. W chwili gdy wałówka została zapakowana do samochodu, którego właścicielka dokonywała właśnie ostatnich czynności upiększających,

Łukasz odebrał telefon i zbladł tak, że Malwinie błyszczyk wypadł z ręki.

– Rany boskie! Nie! Nigdzie nie iść! Zaraz tam będę i pójdę z panią! Tak, wiem! I z kotem! – wyrzucił z siebie podniesionym głosem zięć i na chwilę znieruchomiał. – Ale jest pani pewna? Bo może to fał... Aha... Dobra. To zaryzykuję i zadzwonię po chłopaków... Nie, ja będę szybciej. Mam blisko... Niech pani czeka!

Wyleciał z domu jak do pożaru, po drodze wykrzykując do komórki jakieś polecenia, a jego teściowa stała jak słup, zastanawiając się gorączkowo, co powinna teraz zrobić: lecieć za nim czy składać wizytę?

Łukasz w biegu zdążył powiadomić Tadzia i Krzysztofa, że piekielny kocur znowu domaga się wyjścia na spacer, a jego właścicielka jest pewna, że na upiornej łączce poniewierają się kolejne zwłoki. Tadzio od razu zgłosił chęć przyjazdu, natomiast Jerczyk żywiołowo zaprotestował, powątpiewając w nadprzyrodzone zdolności kociego detektywa. Przypomniał Szczęsnemu, że przecież teren patrolują policyjne radiowozy, które nie zgłaszały żadnych niepokojących incydentów, i stanowczo zakazał ściągania ekipy technicznej, dopóki istnienie kolejnej nieboszczki pozostaje jedynie w sferze domysłów. W końcu obiecał, że sam przyjedzie i – jeśli okaże się, że wyciągnięto go z domu bez powodu – wsadzi do paki na dwadzieścia cztery godziny cholernego kota razem z jego właścicielką.

MAŁGORZATA J. KURSA

Kiedy spocony i zdenerwowany Łukasz dotarł do domu Lipskich, od razu rzucił mu się w oczy szalejący przy furtce, rozwrzeszczany Belzebub i usiłujące go okiełznać aptekarskie małżeństwo. Na widok policjanta kocur oparł się przednimi łapami o sztachety, łypnął na nadbiegającego złocistymi oczami i wydał z siebie basowe miauknięcie. Nawet kompletnie nieobeznany z kocią naturą aspirant nie miał wątpliwości, że to wyraźne ponaglenie.

– Już! – wydyszał i machnął ku Lipskiej, by wypuściła zwierzaka.

Marylka bez słowa owinęła sobie smycz na przegubie, mocniej złapała skórzany rzemień i otworzyła furtkę. Belzebub natychmiast wyprysnął na chodnik, podejrzliwie zlustrował Szczęsnego, a potem skierował się w prawo.

Kocie wrzaski zaintrygowały sąsiada, który najpierw obserwował całą awanturę, stojąc w otwartym oknie, a potem podszedł do ogrodzenia i, z wyrazem osłupienia na obliczu, przyglądał się nietypowej procesji. Jej czoło stanowił ogromny czarny kocur kroczący majestatycznie z zadartym ogonem. Za nim drobiła rozczochrana blondynka w mocno schodzonych klapkach (Marylka wkładała je tylko do ogródka, a potem i tak zrzucała z nóg, bo lubiła chodzić po trawie boso), białym podkoszulku i błękitnych szortach, obok szedł wyraźnie spięty znajomy policjant, a za nimi – niepewnie i jakby na przyczepkę – maszerował mocno rozneglizowany facet, na którego twarzy malowała się rozpaczliwa chęć dokopania komukolwiek. W dłoni ściskał nóż do krojenia chleba.

Kiedy dziwaczna procesja dotarła do ścieżki między domami, Belzebub nagle stanął jak wryty, wydał z siebie gardłowy pomruk, w którym dźwięczał wyraźny zachwyt, i jak strzała rzucił się na ogrodzenie, za którym stał ogłupiały sąsiad. Niepozorny chłopina struchlał na moment, ze zgrozą patrząc na rozmruczanego na cały regulator kocura, a potem runął w kierunku azylu własnego domostwa, ale – nim zatrzasnął za sobą drzwi – wydyszał ze zgrozą:

– No, proszęż, proszęż... Mówiłem, że wściekły...

Marylka, którą na chwilę unieruchomiło zaskoczenie, ocknęła się i pośpiesznie ściągnęła smycz, podbiegając jednocześnie do ukochanego pieszczocha. Poczuła unoszący się w powietrzu charakterystyczny zapaszek i ulżyło jej.

– Wściekły... – mruknęła z urazą. – Normalny kot. Wszystkie tak reagują... Chodź, skarbie. Zostaw. Już go nie obliżesz, bo uciekł. Widzisz? Tchórz – ulżyła sobie. – Małego kotka się przestraszył... Chodź, kochany. Pokaż mamusi, co ci się znowu nie podoba... No, chodź. – Szarpnęła lekko za smycz, kiedy Belzebub z wyraźnym żalem obwąchiwał ogrodzenie. – Potem dostaniesz kocimiętki. Chodź.

Kocur ostatni raz pociągnął nosem i zawrócił na ścieżkę. Dotarł do skraju łączki, usiadł i miauknął głośno, dając gromadce dwunożnych do zrozumienia, że mogą się do woli cieszyć łupem, ku któremu ich przywiódł. On swoje zrobił, reszta go nie interesuje.

Szczęsny ominął Marylkę i wbił wzrok w pokrzywy z rozpaczliwą nadzieją, że ten cholerny kot się pomylił, ale z kępy prześwitywało coś różowego i już wiedział, że zabójca uderzył po raz kolejny.

– I co? – rozległ się za nim głos sierżanta Skotnickiego, który właśnie przyjechał. – Znowu?

– Znowu – potwierdził Łukasz ponuro. – Dzwoń po Brożka i ekipę. Niech szybko przyjeżdżają, bo upał jak cholera… Panie Lipski, proszę zabrać stąd żonę i kota. – Dojrzał goły tors Sławka i pokręcił głową. – Znikajcie, bo jak starsze panie zobaczą kawałek męskiego ciała, to będziemy mieć więcej zwłok, niż statystyka przewi… Po co panu ten nóż?!

– Jaki nóż? – zdziwił się Lipski, a potem poszedł za wzrokiem aspiranta. – A, ten… No… Chleb akurat kroiłem, kiedy Belzebub… Jakoś tak odruchowo złapałem…

– To niech go pan teraz jakoś ukryje, zanim tutejsze plotkary obwołają pana seryjnym mordercą – polecił Tadzio. – I faktycznie znikajcie stąd, bo nasz prokurator jest ostatnio strasznie zawzięty na tego waszego kota obronnego. Każdy jego spacer to dla nas dodatkowe problemy.

Marylka poczuła urazę, ale i obawę. Nie dyskutowała, tylko wzięła Belzebuba na ręce i pośpiesznie poszła ku wylotowi ścieżki. Za nią ewakuował się Sławek, usiłując trzymać nóż w ten sposób, by nie był widoczny. Już na chodniku natknęli się na wysiadającego z samochodu Jerczyka i zgodnie przyśpieszyli kroku.

Malwina najchętniej rozdarłaby się na dwie sztuki, żeby jedna mogła obgadać sprawę z inteligentnymi przyjaciółkami, a druga – pognać za zięciem, którego najwyraźniej znowu coś wyprowadziło z równowagi. Ponieważ jednak było to niewykonalne, po namyśle z żalem zdecydowała się jechać do Elizy.

– Cześć, dziewczyny! – wysapała, wpadając do mieszkania Barnabów. – Same jesteśmy? – Wolała się upewnić, bo kiedy zdarzało im się poruszać w rozmowach jakieś nietypowe tematy, syn Elizy, Piotruś, zaczynał zerkać na nie podejrzliwie i próbował zniechęcić swoją żonę do przebywania w ich towarzystwie, co było niewskazane. Lala bowiem, jako młodsze, wyszczekane i obeznane z techniką pokolenie, była obu paniom wręcz niezbędna. Pomagała im ogarnąć otaczający je, coraz bardziej obcy świat, a przede wszystkim umiała na sprawy, które je irytowały, spojrzeć z zupełnie innej strony. – Czy Piotruś znowu…

– Nie ma go – przerwała pośpiesznie Lala, która właśnie pod nadzorem teściowej lepiła pierogi. – Jak zobaczył tę produkcję, którą mama zarządziła, wolał się ewakuować.

Malwina kątem oka dojrzała pokryte ściereczkami blaty kuchennych szafek, na których tłumnie rozpierały się brzuchate, foremne pierożki, i podejrzliwy wzrok przeniosła na przyjaciółkę.

– Zamierzasz to zabrać w podróż? – zapytała groźnie. – Uważasz, że mam tasiemca, którego trzeba dokarmiać pierogami?

– Odczep się! – warknęła Eliza i starannie zlepiła trzymanego w ręce pieroga, uważając, by nie wypłynął z niego sok. – Nic mnie nie obchodzi twój tasiemiec! Wyjeżdżam na miesiąc! Nie zostawię dzieci bez jedzenia! Kupiłam jagody na targu, szkoda, żeby się zmarnowały. Lala będzie miała gotowy obiad na upały.

– Myślisz, że przez ten miesiąc dzieci ci się rozmnożą jak króliki? – Malwina uniosła brwi z wyraźnym powątpiewaniem. – Tą ilością cały blok byś wykarmiła...

– Piotruś lubi dobrze zjeść, a ja nie jestem teściową z dowcipów i próbuję ulżyć swojej synowej – odparła Eliza z godnością.

– Nawet jeśli zasysa żarcie jak odkurzacz, nie wierzę, że przetrzyma taki monotonny jadłospis! – Malwina się skrzywiła. – Przecież chyba ze trzysta sztuk wam tego wyszło. Chłop od czasu do czasu musi jakiś mięsny ochłap spożyć...

– Spożyje – przerwała jej ugodowo Lala. – Nie mam zamiaru karmić go tym codziennie. Większość zamrożę.

– Mądra dziewczyna. – Malwina nie zwracała uwagi na naburmuszoną przyjaciółkę. Wciągnęła do kuchni wielką, kraciastą torbę wypełnioną wiktuałami ze swojego sklepiku. – Nie jestem wprawdzie twoją teściową, ale też uznałam, że w takie upały gotowanie nie jest ulubioną czynnością, i przywiozłam wam zapasy. Też możesz zamrozić... Dobra. Umyję ręce i pomogę wam, bo czas leci, a musimy się naradzić. Potrzebuję waszej pomocy w sprawie tych nieboszczek z domków.

– No, nie wiem... – Eliza pokręciła głową. – Już raz pomagałyśmy twojemu zięciowi i nie był zach...

– Teraz to co innego! – Malwina wytarła mokre ręce i przystąpiła do pierogowej kooperacji. – Nie musimy nic robić. Przy tych nieboszczkach policja znalazła takie okropne różowe rzeczy i próbują się dowiedzieć, do kogo one wcześniej mogły należeć. Ale, wiecie, chłopy w tych sprawach to jednak mało kumate są...

– Jasne – przytaknęła Eliza ze zrozumieniem. – Oni mają jakoś inaczej zbudowany mózg. Baba to zawsze każdy szczegół wypatrzy. I zapamięta... W zasadzie trochę się boję twojego zięcia, ale tyle mogę zrobić.

– A skąd będziemy wiedziały, jak te różowe rzeczy wyglądają? – chciała wiedzieć Lala. – Bo z opisu to jednak trudno...

– Zdjęcia przyniosłam! – oświadczyła tryumfalnie Malwina.

– Zięć ci dał? – zdziwiła się obłudnie Eliza.

– Lukrecji dał. Żeby do redakcji zaniosła... Sama sobie zeskanowałam. Przecież Lala mi pokazała, jak to się robi, a ja taka znowu tępa nie jestem...

W głosie Malwiny dźwięczał ten szczególny ton, który zwiastował wiszącą w powietrzu kłótnię, bo już i Eliza się zapowietrzyła, więc Lala uznała, że pora na interwencję.

– Macie szczęście, że udało mi się zabukować ten dwuosobowy pokój – powiedziała szybko. – Bo był tylko jeden.

Obie damy natychmiast zapomniały o kłótni i przeniosły na dziewczynę podejrzliwy wzrok.

– Jak to jeden? – Malwina się zdenerwowała. – Mówiłaś, że to gospodarstwo agroturystyczne? Wynajmują tylko jeden pokój? To ceny tam muszą być straszne!

– Kurczę, już wpłaciłyśmy zaliczkę! – przejęła się Eliza. – Jak zrezygnujemy, to nam przepadnie.

– O rany! Dajcie mi powiedzieć! – zniecierpliwiła się Lala. – Oni tam mają więcej pokojów, ale dwuosobowy tylko jeden! Bo przeważnie przyjeżdżają rodziny z dziećmi. Na szczęście zrobiłam rezerwację dużo wcześniej, inaczej pewnie musiałybyście niepotrzebnie płacić za większy.

– Z dziećmi? Tego nam nie mówiłaś – skarciła ją Eliza.

– Przecież wy i tak będziecie tylko w tym gospodarstwie nocować, bo chcecie zwiedzać! – rzuciła Lala z rozpaczą. – Dla dzieci tam jest kupa atrakcji, nie będą wam przeszkadzać! Mamo, wiesz, jakie tam są grzybne lasy? I suszarkę też mają. Przywieziesz sobie zapasy na wigilię. I podobno ta gospodyni świetnie gotuje. I wodę tam mają z własnego źródła. Wreszcie się napijesz porządnej herbaty.

Eliza Barnaba miała trzy słabości: uwielbiała dobrą herbatę, a na słowo „grzyby" reagowała jak dobrze wytresowana świnia na trufle. Trzecią słabość odkryła dzięki odnowieniu szkolnej przyjaźni z Malwiną. Otóż dowiedziała się, że uwielbia ten zastrzyk adrenaliny, jaki daje sprawnie przeprowadzona akcja antyprzestępcza. Po oświadczeniu synowej od razu zrezygnowała z wszelkich pretensji i pogodziła się z obecnością cudzego potomstwa przebywającego pod tym samym dachem co ona.

Ale Malwina wciąż pełna była wątpliwości.

– To jak to tak? – rozzłościła się. – Miałyśmy razem zwiedzać! Jak ona raz wlezie do tego lasu, nikt jej stamtąd nie wyciągnie! Co ja tam będę sama robić?

– Możesz razem ze mną...

– O, nie! Las to nie jest moje ulubione środowisko naturalne.

– Pani Malwino, przecież pokazywałam wam zdjęcia... – zaczęła Lala, ale Malwina była już w rozpędzie.

– Trzy miesiące temu! Myślisz, że ja to wszystko pamiętam? Sklep miałam na głowie, a teraz jeszcze kłopoty zięcia... Chcę jeszcze raz zobaczyć, na co się zdecydowałam – zażądała kategorycznie. – To mają być wakacje, a nie...

– No przecież ja nie będę w tym lesie nocowała – obraziła się Eliza. – Też chcę pozwiedzać.

– Cicho bądź! – warknęła Malwina. – Znam cię jak zły szeląg. Na widok byle grzyba dostajesz amoku! Lala, chcę to jeszcze raz zobaczyć!

– W porządku. – Lala westchnęła, odłożyła ostatniego pieroga i umyła ręce przy kuchennym zlewie. – Chodźcie, zaraz odpalę laptopa i sobie oglądajcie.

Wisiały nad nią jak dwie sępice, kiedy otwierała stronę internetową. Ulżyło jej, kiedy obie zachwyciły się widocznym na fotografii domem, a potem z uwagą obejrzały umieszczone w galerii zdjęć pokoje.

– No, niczego sobie – uznała łaskawie Malwina.

– Zobacz! – Eliza tknęła palcem monitor. – Ile książek! Znaczy, kulturalni ludzie tam mieszkają. Nawet gdybym poszła na grzyby, nie będziesz się nudziła… O, ile zwierzaków – zachwyciła się szczerze. – Koty, psy, kózki… Patrz! Osiołek! Jaki śliczny!

– On się nazywa Czesio, ten osiołek – wyjaśniła Lala pośpiesznie. – A książek tam rzeczywiście nie brakuje, bo gospodarze często goszczą u siebie naszych pisarzy. I wielu przysyła im swoje powieści z autografami.

– A skąd ty to wszystko wiesz? – zapytała podejrzliwie Malwina.

– Bo mam ich w znajomych na Facebooku – wyznała Lala. – Dlatego, kiedy wspomniała pani o wyjeździe w tamte strony, od razu pomyślałam o nich.

– To daleko od jakiejś miejskiej cywilizacji? – badała Malwina. – Nie będzie kłopotu z dojazdem?

– Nie będzie. Przecież ma pani GPS w samochodzie...

– Ciekawe, czy mają u siebie jakieś zwierzę obronne? – zainteresowała się Eliza, porzucając oglądanie zdjęć.

– Jasne! – Malwina popukała się w czoło. – U nas wszędzie pełno jest zwierząt obronnych. Oni mają pewnie strusia.

– Co ty? Struś to tchórz jest. – Eliza prychnęła z pogardą. – Jak go coś wystraszy, to od razu łeb w piasek wtyka, a zapomina, że tyłek ma niezabezpieczony... Ale koty mają, to może któryś...

– Właśnie! Koty! Ten kraśnicki obronny ostatnio dokłada pracy naszej policji, bo odkrywa kolejne nieboszczki. – Malwina odpuściła dalszą indagację i wyjęła z torebki koszulkę ze skanami. – Mam dla was zleconą pracę umysłową. Na tych zdjęciach są rzeczy znalezione przy tych domkowych nieboszczkach. Obejrzyjcie i zastanówcie się dobrze, czy ich na kimś nie widziałyście.

– Nieboszczek? – Eliza z trudem przestawiała myśli z kota obronnego na pracę zleconą przez Malwinę. Warmia kojarzyła się jej z Krzyżakami, a Krzyżacy – z zakopanymi skarbami, które taki sprytny kot mógłby wytropić.

– Boże, za co mnie każesz kretynką! – warknęła Malwina i podetknęła jej pod nos skany. – Kiecka, buty i torebka – powiedziała wolno i wyraźnie. – Jarzysz? Widziałaś je u jakiejś baby?

– Skąd wiesz, że akurat u baby? – Zelżona Eliza poczuła się natychmiast w obowiązku stanąć okoniem.

– Naprawdę widziałaś na kraśnickiej ulicy faceta w różowych szpilkach i różowej kiecce, radośnie machającego różową torebką?! – wysyczała Malwina z furią. – Skup się wreszcie! Te pierogi na mózg ci padły chyba! Ktoś w tym mieście morduje baby! Baby mają przy sobie rozmaite różowe elementy! Policja podejrzewa, że te elementy wcześniej należały do jednej baby, a teraz się rozlazły po różnych! I ja teraz potrzebuję nazwiska tej jednej! Rozumiesz?

– Nie – wyznała Eliza uczciwie. – Jakoś zawile to tłumaczysz.

Zanim Malwina zdążyła wpaść w szał, odezwała się Lala, która stanęła za nią, z uwagą przyglądając się zeskanowanym fotografiom.

– Pani Malwino, jestem pewna, że gdzieś widziałam tę sukienkę. Te złote motylki na dole... Na pewno widziałam. Pacjentka to chyba była.

– Kiedy widziałaś? – zapytała niecierpliwie Malwina, od razu zapominając o tępocie najlepszej przyjaciółki. – Teraz czy wcześniej? Bo jak teraz, to mogłaś widzieć na tej nieboszczce, a mnie interesuje pierwsza właścicielka.

– Na pewno nie teraz. – Lala z przekonaniem pokręciła głową. – Ale na pewno u Maminki. Zadzwoniłabym od razu, ona może pamiętać, ale pojechała na weekend do starszych dzieci. Zawsze wtedy wyłącza komórkę. W poniedziałek ją mogę zapytać, jeśli mi pani zostawi te skany.

– W poniedziałek to ja już nic nie zrobię – mruknęła rozczarowana Malwina. – Będziemy w drodze na wakacje. Za późno.

– No przecież istnieją komórki – pocieszyła ją Lala. – Jeśli Maminka sobie przypomni, kto to był, puszczę pani esemesa, a pani zadzwoni do zięcia albo wyśle mu nazwisko.

– No… Właściwie… – zawahała się Malwina. – Może i… A jak tam nie będzie zasięgu? Podobno są takie miejsca, gdzie nie ma…

– Oj tam. Przecież ludzie dzwonią do siebie z trasy i jakoś się dodzwaniają.

– Może i racja… Dobrze. To ty teraz, dziecko, upchnij gdzieś to żarcie, co przywiozłam, bo ta torba będzie mi potrzebna, a my uzgodnimy, jaki bagaż ze sobą weźmiemy. Ta moja mazda z gumy nie jest… Może być głośno – uprzedziła lojalnie Lalę, która ze zrozumieniem pokiwała głową – ale raczej się nie pozabijamy.

Krzysztof Jerczyk, wyrwany z domowego zacisza, powiódł złym wzrokiem za pośpiesznie oddalającym się małżeństwem, westchnął i wszedł na ścieżkę z nadzieją, że alarm był fałszywy. Sprawdzi, opieprzy, kogo trzeba, i wróci do domu, by spędzić spokojny weekend w towarzystwie żony.

Nadzieja rozwiała się bez śladu, gdy z daleka dojrzał przykucniętego na skraju upiornej łączki Szczęsnego, a obok pochylonego Tadzia.

– Nie! – jęknął głośno, podchodząc bliżej. – Powiedzcie, że to fatamorgana! Jak to możliwe? Przecież, do ciężkiej cholery, miały być patrole! Co pół godziny! Co to za barany obstawiały tę uliczkę?

– Buła i Rycho w dzień, Jasiek ze Staśkiem w nocy – mruknął sierżant Skotnicki. – I nie chciałbym być w ich skórze, jak Werner się dowie... Powiadomiłem ekipę i Brożka. Też nie jest szczęśliwy.

– Łukasz, wiesz kto to? – Prokurator spojrzał pytająco na Szczęsnego, który w rękawiczkach przeglądał zawartość wyciągniętej z zarośli torebki. – Są dokumenty?

– Moment. – Torebka była dość ciężka i pełna przedmiotów, których przeznaczenia aspirant nie zamierzał nawet dociekać, ale wreszcie trafił na portfel. Przejrzał go dokładnie i dojrzał rożek dowodu osobistego. – Mam!... Jezu, skąd ludzie biorą takie pomysły? – jęknął z obrzydzeniem. – Nikola Chrząszcz, rocznik tysiąc dziewięćset dziewięćdziesiąt sześć, adres... Nasza. Kraśniczanka.

– A coś różowego jest? – spytał Jerczyk i obejrzał się, bo usłyszał odgłos kroków. – Brożek przyjechał. Zaraz zacznie narzekać.

Doktor Brożek doczłapał do kamienia, usiadł na nim ciężko i sapnął ze złością:

– Czy wy te nieboszczki musicie produkować akurat w soboty? Chyba pora na emeryturę. Niech się młodsi trochę pomęczą.

– To nie my je produkujemy – sprostował sierżant Skotnicki z urazą.

– To może chociaż coś byście zrobili, żeby przestały się pojawiać w ilościach hurtowych? – zripostował doktor uszczypliwie. – Już ponad dwa miesiące minęły, a wy dalej...

– Jesteśmy coraz bliżej – przerwał mu prokurator. – Ty rób swoje, a my swoje. Jestem pewny, że zginęła w ten sam sposób jak dwie poprzednie, ale obejrzyj ją... Łukasz, znalazłeś przy niej coś różowego? – przypomniał sobie.

– Owszem. – Szczęsny pokazał mu torbę na dowody, do której wcześniej włożył szeroki, różowy, lakierowany pasek z błyszczącą klamrą. – To... Leżał obok ciała... Cholera, trzeba będzie powiadomić rodzinę. To młoda dziewczyna... Szlag by to...

– Buty, kiecka, torebka i pasek – wyliczył Tadzio, marszcząc brwi. – Różowe. Co w nich można ukryć? Kawałek papieru z zapisanym hasłem do wypasionego konta? Ale wtedy powinny zostać jakieś ślady...

– Na pasku jest nowy szew – mruknął Łukasz. – Tu widać.

– Szewska robota. Buty też naprawiał...

– W torebce wymieniał zamek. Potwierdził to – przypomniał prokurator. – Do czego zmierzasz, Tadziu?

– Do tego, że wszystkie te baby przed śmiercią odwiedziły szewca – oznajmił sierżant twardo.

– To jeszcze nie dowód. – Jerczyk westchnął i pokręcił głową. – To tylko poszlaka. Wolałbym mieć jakieś konkrety. Proces poszlakowy to koszmar każdego prokuratora...

– Złapcie go, zanim zacznie mordować dzieciaki – rozległ się za nimi ponury głos Brożka. – Jak widać, wiek mu nie przeszkadza, byle płeć się zgadzała... Tak, to ten sam. Uduszenie, ciało przeciągnięte... O, technicy przyjechali. – Spojrzał ku wylotowi ścieżki. – Dobrze. Niech robią swoje i jak najszybciej trzeba ją stąd zabrać. Praży jak cholera...

W kraśnickiej komendzie policji w poniedziałkowy ranek rozgrywały się dantejskie sceny. Jak było do przewidzenia, komendant Werner na wieść o kolejnym zabójstwie dostał szału i pechowi uczestnicy patroli wylądowali w jego gabinecie. Wzywani byli pojedynczo, bez koleżeńskiego wsparcia i możliwości uzgodnienia zeznań. Każdy z nich po opuszczeniu jaskini lwa wyglądał, jakby go przepuszczono przez wyżymaczkę, każdy milczał jak głaz i każdy w duchu przysięgał sobie na wszystkie świętości, że nigdy więcej nie będzie podżerał na służbie, a już na pewno nie zaśnie na patrolu. Werner nie omieszkał uświadomić podwładnym, że to dzięki ich niedbalstwu młoda dziewczyna straciła życie. Lekcję uzupełnił fotografiami denatki. Trzech podkomendnych zapamiętało ją na zawsze, jeden okazał się odporny.

Kiedy do gabinetu komendanta weszli Szczęsny i Skotnicki, ten siedział przy biurku z dziwną miną.

– Siadajcie. Nie potraktujcie tego jako donosu – powiedział z wahaniem. – Po prostu usiłuję coś zrozumieć… Jakim cudem Styrbuła trafił do policji? Widziałem jego papiery. Jak mu się udało zaliczyć wszystkie testy? Przecież on… on… – Wyraźnie brakowało mu słów.

– Niech sobie szef ulży – poradził życzliwie Tadzio. – On się nadaje do policji jak baletnica do klasztoru. To gamoń, bezmózgowiec i totalna niedojda. Dziadek i tatuś byli w MO. Naopowiadali Romciowi, jakie to rajskie życie i władza, a on uwierzył. I też chciał.

– Samo chcenie to za mało – stwierdził Werner sucho.

– Prawda. Ale nasz były komendant to kumpel dziadka Styrbuły. Popchnął, gdzie trzeba, i przygarnął…

– Powinienem go wywalić na zbity pysk za niedopełnienie obowiązków służbowych! Ten idiota powiedział mi, że w regulaminie nie ma zakazu jedzenia na służbie! Chyba go wyślę na szkolenie!

– Szkoda kasy, panie komisarzu. – Łukasz czuł się wyjątkowo paskudnie ze świadomością, że szef uzna ich wszystkich za prowincjonalnych nieudaczników. – Żadne szkolenie nie zmieni mentalności, którą mu przekazali dziadek i ojciec. Może go pan wywalić, ale wtedy nie opędzi się pan od telefonów z kraśnickich szczytów, bo Romek się poskarży. Lepiej poczekać, aż sam się podłoży...

– Chyba już się podłożył! – nie wytrzymał Werner. – Gdyby nie to, że akurat go sparło na żarcie, może mielibyśmy mordercę, a dziewczyna by żyła!

– Bo to trzeba jak za PRL-u – wyrwał się Tadzio. – Dwójka patrolowa, a w niej jeden silny, a drugi myślący. Buły się nie da przypasować do żadnej kategorii, to może by go za biurkiem posadzić?

Lala dotrzymała słowa. Po rozmowie z Maminką i pokazaniu jej zostawionego przez Malwinę skanu wysłała tej ostatniej krótkiego esemesa, który zawierał tylko jedno słowo. Było nim nazwisko pierwotnej właścicielki wstrząsających różowości.

Malwina właśnie wyjeżdżała z Ryk, kiedy usłyszała dźwięk swojej komórki. Ponieważ była osobą, która zawsze starała się przestrzegać przepisów, a ze względu na zięcia szczególnie się pilnowała, w pierwszym dogodnym miejscu zjechała na pobocze (przy okazji pozwalając Elizie rozprostować nogi), przeczytała wiadomość, powtórzyła ją na głos, by zapamiętać nazwisko, po czym przesłała je Łukaszowi z dopiskiem: „Od niej poszlo to rozowe".

Obowiązek porządnej teściowej odpracowała, kłopoty, których przyczyniła zięciowi przy poprzednim śledztwie, odrobiła z nawiązką. Teraz już mogła spokojnie jechać na zasłużone wakacje.

Wszyscy trzej byli już nieźle umordowani, kiedy wreszcie po południu udało im się spotkać w prokuratorskim gabinecie.

– Dobra, chłopaki – westchnął Krzysztof. – To jedziemy od początku.

– A może inaczej? – wyrwał się Tadzio, w którym dusza jęknęła na samą myśl, że po raz kolejny będą godzinami wałkować raporty z sekcji i laboratorium. – Może zbierzmy do kupy wszystko, co wiemy o nieboszczkach?

Jerczyk i Szczęsny spojrzeli na siebie, po czym jednocześnie skinęli głowami. Może rzeczywiście warto przyjrzeć się tej sprawie z innej strony? Raporty z laboratorium i te od Brożka mogli już cytować z pamięci, zdjęcia zrobione przez policyjnego fotografa śniły im się po nocach.

– No, dobra – westchnął Jerczyk. – To co wiemy?

– Guzik wiemy poza tym, że nic ich nie łączyło – mruknął niechętnie Szczęsny. – Gburek nie była z Kraśnika i nikogo tu nie znała poza Kroczkami. Skórka już tutejsza. Pracowała w tym sklepie z używaną odzieżą, któremu ten

175

smarkacz sprzedał wygrzebany z pojemnika łup. Ostatnia, Chrząszcz, zarejestrowana była jako bezrobotna w kraśnickim urzędzie pracy...

– Pogadałem z jej matką – włączył się Tadzio. – Mieszkały we trzy: matka, ta Nikola i jej starsza siostra, Dżesika. Papcio dał nogę, kiedy dziewczyny były jeszcze smarkate. Wyjechał do Niemiec i ślad po nim za... – Urwał raptownie i oczy mu błysnęły. – Hej! Zaraz! A jeśli ta Gburkowa wcale nie była pierwsza?

Jerczyk i Szczęsny zastygli na moment, a potem jednocześnie wzruszyli ramionami.

– Tadziu, śmierć Szklarskiej i Kopytko uznano za nieszczęśliwy wypadek. – Łukasz pokręcił głową. – Już to wałkowaliśmy. Akt zgonu wypisał lekarz z pogotowia, a potem jeszcze nasi Brożka wezwali. W obu wypadkach potwierdził brak udziału osób trzecich.

– A wiecie, jak łatwo upozorować taki wypadek? – Sierżant obstawał przy swoim. – Jakby Szklarski chciał babę utopić, to już ślady mogą zostać, bo każdy odruchowo się broni, ale tak? Wrzucić do wody jakąś elektrykę i po zawodach. A ta drabinka, co Kopytkowa z niej zleciała, miała takie specjalne gumy na nogach. I gibała się, bo jedną dziwnie wcięło. Czytałem raport.

– To tym bardziej im niczego nie udowodnisz – skwitował stanowczo prokurator.

Sierżant zmarkotniał i odruchowo zaczął miętosić leżące przed nim kopie policyjnych raportów. W pewnym momencie wpadło mu w oko słowo, które – był tego pewien – widział w ekspertyzach laboratoryjnych. Nie zwracając uwagi na zaskoczonych kolegów, zaczął niecierpliwie grzebać w papierach. Wyłowił ze sterty kopie raportów dotyczące trzech denatek znalezionych na osiedlu domków, a potem dołączył do nich policyjną notatkę sporządzoną prawie półtora roku wcześniej. Ułożył wszystkie według dat i pchnął po ławie w stronę Szczęsnego.

– Mówiłem, że Gburkowa nie była pierwsza – mruknął z satysfakcją. – Zobacz. To służbowa notatka chłopaków, jak im pogotowie zgłosiło zgon w domu w nietypowych okolicznościach. Pozostałe trzy to raporty z laboratorium na temat śladów na tych trzech nieboszczkach. Co je łączy? Bo ja tu widzę jeden ciekawy element.

Łukasz uważnie przestudiował dokumenty i w oku mu błysnęło.

– No? Co tam macie? – nie wytrzymał Krzysztof. – Co to za element?

– Dowód to nie jest – powiedział Szczęsny ostrożnie. – Bardziej poszlaka, ale jakby tak trochę tych poszlak uzbierać... Waleriana, Krzysiu. Chłopaki w raporcie z 2015 roku napisali, że małżonek ofiary był mocno przybity, sprawiał wrażenie bardzo zdenerwowanego i woniał walerianą... To prawda – przypomniał sobie. – Przy mnie pił tę walerianę jak wodę. Ale... – wzruszył ramionami – próbował ratować żonę i jego także trochę potelepało.

– Też bym woniał, gdyby... – zaczął Jerczyk i nagle dotarła do niego waga informacji. – O cholera! Jak mogliśmy to przeoczyć?... Łukasz, ty masz znajomego lekarza – przypomniał sobie. – Oni tam wszyscy zasłaniają się tajemnicą lekarską, ale między sobą kłapią aż miło. Dowiedz się jak najwięcej o tym znerwicowanym małżonku od strony medycznej. To też może nam pomóc. – Wyprostował się, z błyskiem w oczach popatrzył na kolegów i zdecydowanym tonem oświadczył: – Poszlaki mi wystarczą do oskarżenia, ale muszą być naprawdę mocne. Chłopaki, musimy dobrać się do tyłka temu draniowi. Już wystarczająco długo wodził nas za nos!

Łukasz jadł podany przez żonę obiad, ale nawet nie wiedział, co ma na talerzu. Zastanawiał się, jak namówić przyjaciela, by dowiedzieć się jak najwięcej o człowieku, którego wytypowali na mordercę. Wreszcie wyjął z kieszeni notes i długopis i zaczął spisywać pytania, na które chciał uzyskać odpowiedź. Kiedy wrócił do jedzenia, przyglądająca mu się w milczeniu Luka zapytała bez nacisku:

– Ciężki dzień, co? Werner was objechał?

– Nawet nie. Ale chłopakom z patrolu nieźle się dostało. Cicho dziś było na komendzie jak w grobowcu rodzinnym… Chyba coś mamy. – Łukasz ożywił się nieco. – Tylko muszę z Januszem pogadać. Potrzebne mi konkretne dane z karty medycznej naszego podejrzanego.

– Macie wreszcie podejrzanego? To chyba już z górki?

– No, nie wiem. – Szczęsny pokręcił głową. – Same poszlaki na razie. Krzysztof może mieć ciężki orzech do zgryzienia, jak przyjdzie co do czego.

– Ale przynajmniej coś się ruszyło – zauważyła Luka pocieszająco. – Szkoda, że nie mogłam ci pomóc. Nikt w redakcji nie widział tych rzeczy z fotografii w naturze, za to wszyscy chętnie się wypowiadali na temat gustu ich właścicielki... Daj! – Podniosła się, widząc, że mąż odsuwa talerz. – Ja pozmywam, a ty dzwoń do Janusza. Nie będę ci przeszkadzać.

Kiedy wyszła, Łukasz sięgnął po swoją prywatną komórkę. Wyłączył ją zaraz po przyjściu do pracy, bo bał się, że odezwie się w najmniej odpowiednim momencie i całkowicie skompromituje go w oczach nowego szefa. Już miał wcisnąć numer Janusza Wrońskiego, kiedy zauważył wiadomość od Malwiny. Od razu się zdenerwował, ale szybko mu przeszło, bo stwierdził, że nie próbowała do niego dzwonić. Znał ją. Gdyby potrzebowała jakiejkolwiek interwencji zięcia, poruszyłaby niebo i ziemię, by dać mu znać, że dzieje jej się krzywda.

Otworzył wiadomość i przez chwilę wpatrywał się w telefon z osłupieniem, nie mogąc pojąć, co teściowa miała na myśli. Dopiero, gdy wrócił do początku esemesa i w oczy zakłuło go znajome nazwisko, zrozumiał resztę. Eureka! Krzysztof! Musi natychmiast zawiadomić Jerczyka, że elementy układanki zaczynają do siebie pasować! Chwila, trzeba coś jeszcze sprawdzić...

– Dzień dobry, aspirant Szczęsny – niecierpliwie odpracował telefoniczny wersal i zadał pytanie, które dręczyło go od momentu znalezienia ostatniej denatki: – Panie Lipski, czy pan się domyśla, dlaczego wasz kot próbował zaatakować sąsiada? Wtedy, gdy prowadził nas do ciała?

Przez chwilę po drugiej stronie panowała cisza. Wreszcie Łukasza dobiegło potężne westchnienie i Sławek wyjaśnił wyraźnie speszony:

— On go nie zaatakował. Przeciwnie. On go w tym momencie pokochał nad życie. Gdyby go żona nie odciągnęła, a sam sąsiad nie uciekł, Belzebub pewnie by go zalizał na śmierć.

— Dlaczego? — chciał wiedzieć Szczęsny, który wprawdzie kompletnie nie miał pojęcia o kociej naturze, ale to i owo obiło mu się o uszy.

— Marylka mówiła, że facet śmierdział walerianą. Nasz Belzebub uwielbia waler...

— Jest pan tego pewien? — przerwał Szczęsny, czując, jak rozlewa się w nim euforia.

— No, jestem. Jak Belzebub był mały, Marylce wylało się w domu trochę kropli walerianowych. Zanim zdążyła wytrzeć, wylizał wszystko do czysta. Nie dał się odpędzić. A potem szalał, jakby się naćpał. Odespał to, ale co się żona nadenerwowała, to...

— Nie! Czy jest pan pewien, że teraz też zareagował na walerianę?

— Jestem — stwierdził Sławek stanowczo. — Marylka też poczuła. Wie pan, to naprawdę zdrowo śmierdzi.

Łukasz podziękował, rozłączył się i wybrał numer prokuratora. Ku jego potężnemu rozczarowaniu — było zajęte. Postanowił próbować do skutku.

Dom był pusty, kiedy Krzysztof wrócił, bo Ama po drodze z pracy wstąpiła na plotki do swojej przyjaciółki Izy. Jerczyk nawet nie pomyślał o jedzeniu. Poszedł prosto do swojego gabinetu, zaopatrzywszy się tylko w butelkę ulubionej wody mineralnej, wyjętą z lodówki, zasiadł w fotelu i natychmiast rozłożył przed sobą fotografie znalezionych przy denatkach rzeczy.

„Wszystko różowe – pomyślał z obrzydzeniem. – Cholera, mam już alergię na różowe... Zaraz... Muszę zapytać Amy, jakie umaszczenie preferuje ten kolor. Blondynki chyba? Na rudych pewnie by się gryzło... Ale ciemnowłose chyba też mogą to nosić... Trzeba by sprawdzić, jakie włosy miała ta elektryczna topielica. W karcie zgonu tego nie ma, szkoda... Dobra, co my tu mamy? Szpilki, sukienka, torebka i pasek. Wszystko różowe. Musi pochodzić od jednej osoby, nie ma innej opcji... Dziwne... Kobiety zwykle już po jednym rzucie oka są w stanie opisać precyzyjnie, jak wyglądała i w co była ubrana znajoma osoba. Taka obfitość różowości na jednej powinna którejś utkwić w pamięci, a tu posucha zupełna. Tadzio zwiedzał Kraśnik z tymi zdjęciami i też nic nie wywęszył... Zaraz! Możemy to ruszyć jeszcze inaczej! Gdybym wydał nakaz przeszukania domu... Fotografia... Może miałaby akurat na niej coś z tych rzeczy... Tylko uzasadnienie jakieś muszę wymyślić... Teść jest karnistą, może coś mi podpo...".

– Jerczyk, do cholery! – Rozmyślania przerwał mu pełen furii krzyk. – Mówię do ciebie od trzech minut! Automatyka ci wysiadła?! Co mi strzeliło do głowy, żeby wychodzić za prokuratora?! Jakbym w rodzinie miała za mało prawników! Megafon mam kupić czy latać ci przed nosem na golasa?!

Ama stała w drzwiach, opierając się o framugę i obrzucając go wzrokiem o dużej sile rażenia. Furia natychmiast opadła, gdy mąż podniósł głowę i spojrzał na nią przepraszająco. Oczy miał przekrwione, twarz poszarzałą ze zmęczenia.

– Cholera – mruknęła, wchodząc do pokoju. – Chyba pójdę na szkolenie do własnej matki. Ona zawsze wiedziała, kiedy ojciec potrzebuje spokoju… Dalej się męczysz przy tej kraśnickiej hekatombie? Sorry... – Podeszła do biurka, cmoknęła Krzysztofa w czoło i macierzyńskim gestem pogładziła po znękanej głowie. – Kawy ci nie dam, bo mi tu padniesz. Mogę ci zrobić koktajl owocowo-warzywny typu bomba witaminowa. I podgrzać obiad, bo pewnie nie jad… O kurczę! – W jej głosie zadźwięczało zdziwienie, kiedy rzuciła okiem na jedno z rozłożonych na biurku zdjęć. – Ten pasek… Pamiętam go! Ta klamra wali po oczach jak… W masie! Mówiłam, że widziałam to w masie! Wszystko różowe, ale najbardziej zapamiętałam pasek! Wiem, kto to był!

Kiedy mąż wbił w nią wyczekujące spojrzenie, podała mu nazwisko. Natychmiast złapał za komórkę.

– Muszę zadzwonić do Łukasza – powiedział zachrypniętym z emocji głosem. – Od jutra bierzemy się za drania! Nie mam motywu, ale mam coraz więcej poszlak!... Łukasz, odbieraj, do diabła! – mruknął do aparatu. – Z kim ty znowu gadasz…

– Ha! – Ama wzruszyła pogardliwie ramionami. – Motyw by się znalazł. Sama chętnie bym ją udusiła albo chociaż zakneblowała. To była po prostu totalna kretynka, która zamiast mózgu miała dużą kasę!

– Mógł ją zabić dla tej kasy…

Ama pokręciła głową i ruszyła do drzwi.

– Nie musiał. Kasa należała do niego, ona ją tylko chętnie wydawała. Na siebie... Streszczaj się, Krzysiu. Potem możesz sobie siedzieć w tej swojej jaskini i medytować nad wszelkimi różowościami tego świata, ale za pół godziny chcę cię widzieć przy stole. Nie życzę sobie, żeby jakiś twój kumpel zamknął mnie za głodzenie własnego męża... Pół godziny! Pamiętaj!

Poddał się po dziesięciu minutach, rozczarowany i zły. Numer Szczęsnego wciąż był zajęty. Kiedy zrezygnował, komórka zawibrowała.

Najpierw obaj obrzucili się wyrzutami, przekrzykując się wzajemnie, potem złość w nich sklęsła i jednocześnie wymienili się nowinami, po czym uzgodnili, że następnego dnia z samego rana porozmawiają z komisarzem Wernerem.

Sierżant Skotnicki, powiadomiony telefonicznie przez Łukasza o identyfikacji pierwotnej właścicielki różowej kolekcji, dokończył obiad, zapowiedział matce, że kolacji raczej nie tknie, i zamknął się w swoim pokoju z kopiami dokumentów dotyczących sprawy, która prześladowała go już w snach. Świadomość, że jego uciążliwy brat z powodu przeciągającej się sesji wciąż przebywa poza Kraśnikiem, napawała go wielką błogością, a ponadto dawała nieograniczone możliwości rozkładania papierów w dowolnej konfiguracji.

Kiedy następnego dnia, świeżutki i wyelegantowany, pojawił się na komendzie, miał uporządkowane wszystkie informacje, a najważniejsze wnioski spisane w punktach w swoim notesie. Nie zdążył niczego przedyskutować ze Szczęsnym, bo zaraz dobił do nich Jerczyk i we trzech poszli do gabinetu komendanta.

– Siadajcie, panowie – powitał ich komisarz Werner. – Rozumiem, że już finiszujecie?

– Nie wiem, czy to właściwe określenie. – Prokurator skrzywił się lekko. – W zasadzie to do mnie należy decyzja, ale po raz pierwszy trafiła mi się tak skomplikowana sprawa i dlatego... Nie będę ukrywał, że uważam pana za fachowca...

– A mogę wiedzieć, czym zasłużyłem na taką opinię? – zainteresował się Werner.

– Cóż – Jerczyk wzruszył ramionami – świat to globalna wioska zamieszkiwana głównie przez znajomych lub znajomych znajomych... Popytałem tu i ówdzie, a to, czego się dowiedziałem...

– Rozumiem – przerwał komisarz i uniósł dłoń. – Zanim zaczniemy, chciałbym, żebyście mi, panowie, wyjaśnili, dlaczego od samego początku śledztwa skupiliście się na tych dwóch rzemieślnikach? Ze względu na te nieszczęśliwe wypadki ich żon?

– Nie – wyrwał się Tadzio. – Znaczy, trochę to dziwne było, że one tak jedna po drugiej zeszły, ale... Odpuściliśmy szklarzowi, kiedy ustaliliśmy, że każda z denatek odwiedziła przed śmiercią zakład szewski. Pierwsza naprawiała buty, druga – odbierała naprawioną torebkę, a ta ostatnia pasek.

– Poszlaka. I to słaba – uznał Werner. – Jeśli zabójstw dokonano na tej bocznej dróżce, to znaczy, że z warsztatu wyszły żywe.

– Na ubraniach ofiar znaleziono ślady kropli walerianowych – włączył się Łukasz pewnym głosem. – W policyjnym raporcie z wezwania spisanym na okoliczność zgonu żony była mowa o tym, że facet koił nerwy walerianą.

– To też tylko poszlaki – podsumował Werner.

– Kiedy szliśmy na miejsce ostatniego zabójstwa, też był po zażyciu waleriany – powiedział Szczęsny. – Kot ją wyczuł i próbował go dopaść, bo uwielbia walerianę.

– Powie pan to w sądzie? – Komisarz spojrzał na milczącego prokuratora i uniósł brwi.

– Tego nie powiem – odparł Krzysztof spokojnie. – Ale mogę powiedzieć, że mam świadków, którzy potwierdzą, do kogo należały wcześniej rzeczy znalezione przy ofiarach. Rozpoznały je jako własność zmarłej żony Szklarskiego, niezależnie od siebie, dwie osoby. – Wziął głęboki oddech i powiedział wprost: – Jestem pewien, że zabójcą jest Szklarski. Mam wiele poszlak, które na to wskazują, choć żadnego dowodu. A, co najgorsze, nie potrafię dostrzec motywu.

Przez chwilę w gabinecie panowało milczenie, które wreszcie przerwał komisarz.

– Jaki to jest człowiek, ten Szklarski?

– Taka niemota życiowa – wyrwało się znowu sierżantowi, ale nim się rozpędził, włączył się Szczęsny.

– Nijaki – powiedział, starannie dobierając słowa. – Od śmierci żony żyje samotnie, z nikim nie utrzymuje bliższych kontaktów. Cierpi na somnambulizm. Wiem, bo mój kumpel lekarz sprawdził mi prywatnie, że po śmierci żony brał leki antydepresyjne. Kilka miesięcy temu przestał. Może dlatego wspomaga się walerianą… A, pedant nieprawdopodobny.

Warsztat wysprzątany na błysk, każde narzędzie na swoim miejscu.

– Ciekawe. – Komisarz zamyślił się na chwilę, po czym oznajmił: – Zanim podejmiemy konkretne kroki, proponowałbym zrobić dyskretny wywiad środowiskowy i obserwację podejrzanego. Nie chcę, żeby doszło do kolejnego morderstwa. Tylko, cholera… – Pokręcił głową z wyraźnym niesmakiem. – Nie czepiam się, ale orłów tu nie widzę. Jeśli spieprzyli sprawę z tymi patrolami…

– Ja chętnie! – Skotnicki podniósł rękę jak pilny uczeń.

– Sierżancie, ciebie już zna…

– Poradzę sobie – zapewnił Tadzio żarliwie. – Łukasz wie. Jestem cierpliwy, a jak trzeba, to i niewidzialny.

– Poradzi sobie – powtórzył Szczęsny, gdy Werner spojrzał na niego pytająco. – Ja pochodzę i popytam.

– A może po prostu wypiszę nakaz przeszukania domu? – podsunął Jerczyk.

– Dom nam nie ucieknie – uciął komisarz i uśmiechnął się lekko. – Jeśli już trafi się na sensownego prokuratora, trzeba o niego dbać. Nie chcę, żeby pan za szybko się poślizgnął… Przedstawiliście mi ciekawy portret psychologiczny. Chyba mam pomysł, ale poczekam na efekty wywiadu. Sam pan powiedział – zwrócił się do prokuratora – że wciąż brakuje panu motywu. Trzeba to zrobić bez pudła. W procesie zawsze lepiej wygląda przyznanie się do winy niż największa nawet liczba poszlak… Im szybciej dostarczysz mi informacji – przerzucił spojrzenie na Szczęsnego – tym szybciej twój kolega zejdzie z posterunku… Dobra robota, panowie. Spotkamy się tu jutro o tej samej porze.

Sierżant Skotnicki, zawzięty i zdeterminowany, nie spuszczał oka z warsztatu. Ponieważ utrzymywał kontakty towarzyskie z przerażającą liczbą osób, podzwonił tu i tam, dzięki czemu udało mu się urządzić sobie punkt obserwacyjny na terenie posesji znajdującej się naprzeciwko obiektu jego zainteresowania. Właścicielce domostwa zełgał, że policja dostała cynk, iż właśnie na tej spokojnej, położonej na uboczu uliczce mogą wymieniać towar kraśniccy dilerzy narkotyków. Jako że gospodyni sama była matką nastoletniej córki, która w przyszłym roku miała zdawać maturę (o czym sierżant doskonale wiedział i dostosował pretekst do sytuacji), przyjęła go z takimi honorami, jakby sam komisarz Halski złożył jej wizytę, i zadbała o wikt oraz odpowiednie warunki stróżowania.

Tadzio przezornie wcześniej wpadł do domu i przebrał się w strój kamuflażowy – bojówki w kolorze zgniłej zieleni, takiż podkoszulek oraz czapkę z daszkiem. Wybrał sobie miejsce, z którego miał najlepszy widok na wejście do warsztatu, sprytnie powiązał cienkim drutem (w kieszeniach portek zawsze nosił rozmaite przydatne rzeczy) gałązki jednej z rosnących wzdłuż ogrodzenia tui i w powstałe w ten sposób gniazdko wcisnął lornetkę. Siedzieć też miał na czym, bo córka właścicielki domu przytaszczyła mu wiklinowy fotel i dwie poduszki. Za fotel podziękował wylewnie, do rozmowy się nie rwał, co dziewczęcia najwyraźniej nie zniechęciło, albowiem chwilę później dostarczyło mu termos z wodą mineralną, w której pływały kostki lodu. Tadzia jednak zdecydowanie bardziej interesowały widoki na zewnątrz posesji i rozczarowana pannica chwilowo odpuściła, choć obiecała przynieść mu obiad.

Sierżant skupił się na obserwowanym obiekcie. Skrupulatnie zapisywał w notesie dokładny czas wejścia i wyjścia klientów, a kiedy pół godziny po zamknięciu warsztatu jego właściciel na skróty udał się do domu, Tadzio podziękował za pomoc kobiecie, która go tak serdecznie przygarnęła, porzucił posterunek, naciągnął mocniej daszek czapki, by ukryć twarz, i zjawił się na posesji Lipskich.

Sławek akurat podlewał trawnik, usiłując nawiązać porozumienie ze szlauchem, który próbował wyrwać mu się z rąk. Na widok znajomego policjanta Lipski zesztywniał, co podstępny wąż natychmiast wykorzystał, fundując mu przy okazji obfity prysznic. To go wyrwało ze stuporu i zmusiło do truchtu ku domowi oraz zakręcenia zewnętrznego kranu.

– Co się… – zaczął z niepokojem, ale urwał raptownie, kiedy Skotnicki położył palec na ustach.

– Nic się nie stało – powiedział sierżant półgłosem i pociągnął gospodarza między drzewa. – Chciałbym się na nockę zalogować na waszym terenie. Mogę?

– Coś nam grozi? – chciał wiedzieć Lipski.

– Absolutnie nic – zapewnił Tadzio solennie. – I od razu mówię, że o nic państwa nie podejrzewamy. Po prostu z tej posesji będę miał najlepszy widok na sąsiedni dom. Nie będę przeszkadzał. Cupnę sobie z tyłu przy żywopłocie i trochę polukam.

– Długo pan tak ma zamiar… cupać? – zapytał Sławek, przeczesując dłonią mokre włosy.

– Całą nockę – odparł sierżant niefrasobliwie. – W ogóle mnie państwo nie zauważycie. A rano się zmyję bez śladu.

– A dlaczego policję interesuje nasz sąsiad? – Marylka, która przez okno dojrzała niespodziewanego gościa, porzuciła kuchenne zajęcia i od razu potruchtała na podwórko. W jej oczach błyszczała ciekawość.

– A tego to na razie nie mogę zdradzić – oznajmił sierżant stanowczo.

– A kiedy pan będzie mógł?

– Ja to w ogóle nic nie mogę. Dziś też bym nie przyszedł, bo się boję tego waszego piekielnika, ale siła wyższa – musiałem.

Marylka błyskawicznie oceniła swoją siłę przekonywania i uznała, że u Szczęsnego będzie miała większe szanse. Sierżant wydawał się odporny na kobiecy wdzięk; nie bez powodu wciąż miał status kawalera. Aspirant posiadał żonę, zatem będzie zdolny zrozumieć moc kobiecej ciekawości.

– W porządku – zgodziła się. – Niech pan luka. Sławek podrzuci panu jakieś kanapki i termos kawy, żeby pan nie zasnął na służbie. To nie będzie próba przekupstwa? – upewniła się.

– Nie będzie. Uznam to za współpracę społeczeństwa z policją – przyrzekł Tadzio i poszedł z Lipskim za dom, by znaleźć sobie wygodne miejsce do obserwacji.

– Bożena Szklarska, z domu Rajska, pochodziła z podkraśnickiej wioski – mówił Szczęsny, kiedy rano następnego dnia siedzieli z Jerczykiem w gabinecie komendanta. – Rajscy w sumie mieli piątkę dzieci, syna i cztery córki. Bożena ponoć zwiała z domu, kiedy skończyła osiemnaście lat, i przyjechała do Kraśnika. Załapała się na stanowisko ekspedientki w butiku obuwniczym należącym do Szklarskiego. Po paru miesiącach wyszła za szefa i przestała pracować, a sklep przeszedł na jej własność. Notarialnie, sprawdziłem. Bożena stosunków ze swoją rodziną nie utrzymywała, nawet na wesele ich nie zaprosiła. Rozmawiałem z matką. Wciąż jest pod wrażeniem, jak bardzo zięć rozpaczał po stracie żony. Córka podobno była leniem patentowanym i interesowała ją głównie własna wygoda. Matka bierze pod uwagę dwie opcje: albo Bożena rzetelnie się zakochała w starszym od siebie małżonku i dla niego się zmieniła, albo ogłupiła Szklarskiego na tyle, że uznał ją za ideał. Bardziej skłania się ku tej drugiej wersji, bo uważa zięcia za poczciwego safandułę, którym dowolnie można manipulować. Z wiejskich plotek dowiedziałem się jeszcze, że Szklarska była głupia, ale cwana.

– Trochę prawdy może w tym być – wtrącił prokurator, kiedy kolega przerwał dla nabrania tchu. – Moja żona ją znała. Szklarska bywała w jej salonie kosmetycznym. Ponoć inteligencją nie grzeszyła, ale była zdania, że pieniądze jej to rekompensują. I miała bzika na punkcie dbania o urodę. O mężu mówiła rzadko i dość lekceważąco.

– To samo powiedziała mi Marta Artymowicz – wtrącił Szczęsny. – Zajmuje się medycyną naturalną, a przez jej gabinet przewinęła się już chyba połowa kraśniczan. Bożena Szklarska też przychodziła. Pani Marta twierdzi, że nic jej nie dolegało, po prostu lubiła zajmować sobą innych, a że miała kasę... Powiedziała mi, że na jej prywatnej liście najbardziej nielubianych pacjentek Szklarska zajmowała wysokie miejsce, i w to bardziej wierzę niż w te wiejskie plotki.

– Czyli mamy dominującą, zapatrzoną w siebie kobietę i wycofanego, potulnego mężczyznę – podsumował Werner. – Prawdopodobnie rzeczywiście w którymś momencie pękł i zabił żonę, ale raczej mu tego nie udowodnimy.

– Chyba że się przyzna – mruknął prokurator.

– Zobaczymy. – Komisarz milczał przez chwilę, a potem, ostrożnie dobierając słowa, powiedział: – Z tego, co wiem, seryjny morderca za każdym razem ma bardzo osobisty powód, by zabić. Powód i imperatyw, nakaz, który go popycha do zbrodni. Jeśli przyjmiemy, że Szklarski zabił żonę, to możemy uznać, że w tym momencie przekroczył jakąś granicę...

– Panie komisarzu – nie wytrzymał Łukasz – ja wiem, że to musi być on. Wszystkie poszlaki na to wskazują, ale on mi kompletnie nie pasuje na seryjnego! To taka typowa, przepraszam za określenie, dupa wołowa. Taki żółw wciśnięty w skorupę, który cienia się boi.

– Wbrew temu, co piszą w kryminałach – Werner uśmiechnął się niewesoło – najczęstszym powodem zabójstw jest właśnie strach. Tchórz zapędzony w pułapkę nie ma już dokąd uciekać i zaczyna się bronić. W każdy możliwy sposób.

– W naszym prawie – zauważył prokurator, który słuchał z uwagą – pojęcie seryjnego mordercy właściwie nie istnieje. Wciąż pokutuje termin „recydywista".

– Co jest bzdurą! – prychnął komisarz. – Recydywista zazwyczaj nie respektuje norm społecznych i dlatego co jakiś czas wraca za kratki. Ale nie dorabia do tego żadnej ideologii. Seryjni mordercy to z reguły psycho- lub socjopaci. Miałem okazję poznać jednego, kiedy byłem w Stanach na szkoleniu. Przyjemność żadna, ale daje do myślenia… Wracając do Szklarskiego – po tym, co od was usłyszałem, sądzę, że zabicie żony było w jego życiu punktem zwrotnym. On nie zabija dlatego, że ma taki kaprys. Zabija, bo strasznie się boi. Nie wiem czego, ale wczoraj rozmawiałem o sprawie ze znajomym profilerem. Podpowiedział mi, jak się do tego zabrać, i mam zamiar wykorzystać jego pomysły. Nie będziemy Szklarskiego płoszyć. Wezwiemy go do nas, żeby rozpoznał przedmioty ze zdjęć. Szczęsny, wyślesz radiowóz po tego Kopytkę. Tu jest wezwanie na okazanie. – Werner przesunął papier po blacie. – Szklarskiego sprowadzimy tu jutro.

Łukasz posłusznie wziął dokument i ruszył do drzwi, ale zawahał się, odwrócił i powiedział niepewnie:

– Tadzio Skotnicki ciągle tam pilnuje. Może bym go…

– Już nie. – Komisarz się uśmiechnął. – Zdjąłem go z posterunku rano i kazałem mu iść do domu, żeby odespał. Na Cichej stoi nasz radiowóz. Nie wolno im nawet na moment spuścić z oka warsztatu. Jak jeden musi siusiu, to drugi obserwuje. Uprzedziłem, że jeśli coś skopią, polecą głowy.

Kiedy Szczęsny wyszedł, prokurator spojrzał na komendanta i bardziej stwierdził, niż zapytał:

– Ten Kopytko to zasłona dymna? Żeby Szklarski nie poczuł się niekomfortowo?

– Zgadza się. Z informacji zebranych przez Skotnickiego wynika, że to jedyna osoba, z którą szewc utrzymuje jakiekolwiek relacje. Wczoraj sierżant znalazł sobie przytulisko u tych Lipskich od kota i dowiedział się, że parę tygodni temu obaj wynosili lustro. Może Szklarski chciał je sprzedać, może odnowić, nie wiem. Istotne jest to, że wpuścił szklarza do domu, a wcześniej pewnie się umówił na odbiór. Mają warsztaty obok siebie i mieszkają naprzeciwko. Kiedy Kopytkę z warsztatu zabierze policyjny radiowóz, Szklarski będzie chciał wiedzieć, o co chodzi. Odpowiedź go uspokoi...

– Łatwiej pęknie...

– Zobaczymy. Dziś dopracuję scenografię, a jutro zapraszam na przedstawienie. – Werner wstał i wyciągnął rękę.

Podniósł się i Jerczyk.

– To nie jest pana pierwszy raz, prawda?

– Nie jest. Trochę w życiu widziałem. Ale spodziewałem się, że na prowincji jednak będzie spokojniej.

Prokurator roześmiał się w głos i mocno uścisnął podaną mu dłoń.

– Prowincjusze też mają znajomych w wielkich miastach. Jeśli się wie, gdzie szukać, to się znajdzie... Panie komisarzu, słyszałem, że te dwa słowa wzajemnie się wykluczają.

– Które dwa słowa? – Nowy komendant przymrużył oczy.

– Spokój i Werner. Podobno ma pan alergię na siedzenie za biurkiem i duże doświadczenie w trudnych sprawach. Dla nas to dobrze, że pan tu trafił. Dla pana chyba gorzej...

Teraz i Werner się roześmiał.

– Właśnie doszedłem do wniosku, że trafiłem lepiej, niż mi się wydawało...

W kraśnickiej komendzie od rana działy się rzeczy, które niewtajemniczonych pracowników doprowadzały do stanu wrzenia. Korytarzami przemykali technicy policyjni znoszący do gabinetu komendanta rozmaite, nietypowe dla tego miejsca przedmioty. Do czegóż bowiem może być potrzebny człowiekowi na poważnym stanowisku manekin sklepowy, którego głowę wieńczy peruka koloru blond, z różowymi pasemkami?

– Stary komendant na coś takiego by sobie nie pozwolił – zawyrokował z urazą w głosie Romek Styrbuła. – Babska kukła w gabinecie… To się dobrze nie kojarzy. – Pokręcił głową z obrzydzeniem.

– Chyba tobie, tępaku – nie wytrzymał Gruby Rycho, który wciąż nie mógł darować koledze, że przez niego dostał od szefa ostrą reprymendę. – To nie lalka do wiadomych celów, tylko normalny manekin. Skąd wiesz, że nie jest dowodem w sprawie? Techniczni tu latają nie bez powodu.

– A mnie ten nowy pasuje – wyznał Jasio, który większość służby spędził, jeżdżąc do wypadków drogowych. – Pierwszy raz w pracy doczekałem się pochwały. Uznał mnie za fachowca od wypadków.

– I miał rację. Już chyba z dziesięć lat w tym robisz – zauważył Rycho.

– Ale pamiętasz, że wcześniej różnie bywało. Mało razy musiałem przepisywać raporty, jak trafiło na kumpla starego? Bardziej mi się podobają nowe porządki.

– A mnie nie! – zirytował się Romek. – Szczęsny i Skotnicki dłubią przy śledztwie, a reszta tylko patrole i patrole! Co to? Gorszy jestem?

– O ile mi wiadomo, nikt specjalnie do śledztw się nie rwie. Prawda, chłopaki? – Gruby Rycho rozejrzał się po pokoju i z zadowoleniem zarejestrował potakujące mruknięcia. – Widzisz, Romciu? Śledztwo to krew, pot, łzy i czas pracy bez limitu. Żaden normalny człowiek tego nie lubi. Tylko Szczęsny i Skotnicki mają inaczej. Jak za starego komendanta zapieprzali jak małe samochodziki, a ty siedziałeś jak lord w dyżurce, to jakoś nie miałeś pretensji. – Zerknął na naburmuszonego kolegę ze złośliwym błyskiem w oku. – Teraz cię sparło na zaszczyty? Nie dałbyś rady, niedojdo. Przecież ty pół godziny nie możesz wytrzymać bez żarcia, a oni nieraz i cały dzień nie mają chwili, żeby coś do paszczy wrzucić.

Policjanci przy biurkach zarechotali półgłosem. Styrbuła nigdy nie był ulubieńcem kolegów. Jeszcze nie zapomnieli, jak donosił poprzedniemu komendantowi.

– Skończyłem kurs z wyróżnieniem! – obraził się Romek.

– Takie dyrdymały to możesz wciskać tym, co cię nie znają! – odpalił Rycho ze złością. – Dziadek i stary cię przepchnęli... Z wyróżnieniem! Ciekawe, ile zapłaciłeś, żeby ci strzelanie zaliczyli. Przecież ty nawet z przyłożenia nie trafisz! Na papierze to może jesteś sam Bond, ale w realu... – Machnął pogardliwie ręką. – Siedź lepiej na tyłku i nie podskakuj, bo sobie zaszkodzisz. Ten nowy wazeliniarzy nie lubi.

– Ty się, Romciu, zastanów, czy nie powinieneś roboty zmienić – poradził Jasio. – Ochroniarzy w tych nowych marketach szukają. Siedziałbyś sobie jak u Pana Boga za piecem.

– Do ochrony to ja mogę iść na emeryturze. – Styrbuła się nadął. – Trzeba myśleć przyszłościowo.

– Myślenie dobra rzecz – przytaknął zgodnie Rycho. – Tylko nie jestem pewny, czy już ten proces opanowałeś…

Prokurator Jerczyk siedział w gabinecie komendanta Wernera i z uwagą śledził, jak pokój zmienia *entourage*. Ława konferencyjna i fotele zostały przesunięte pod jedną ze ścian. Naprzeciwko znalazła się wielka tablica, na której technicy przypięli zdjęcia zwłok znalezionych na łączce i różowych elementów, które denatki miały przy sobie. Pod każdym z nich widniała fotografia z czasów, kiedy ofiara jeszcze żyła; technicy wypożyczyli je od rodzin bądź znajomych denatek i powiększyli. Na samej górze umieszczono wizerunek blondynki o dość wulgarnej urodzie, od niego poprowadzono strzałki ku trzem kolejnym nieboszczkom. Obok tablicy stanął sklepowy manekin, którego fryzura łudząco przypominała koafiurę kobiety z górnego zdjęcia. Manekin odziany był w różową sukienkę ściągniętą różowym paskiem, a przez ramię przewieszoną miał różową torebkę. Na nogach tkwiły szpilki o tej samej barwie. Twarz zasłaniały wielkie okulary przeciwsłoneczne w różowych oprawkach, które skrupulatny Tadzio wygrzebał z samego dna sklepowej skrzyni, uznawszy je za element pochodzący z tego samego źródła.

Orgia różowości przykuwała wzrok każdego, kto wchodził do pokoju.

– No i co pan o tym myśli? – Komisarz spojrzał na zapatrzonego Jerczyka.

– Robi wrażenie – przyznał prokurator. – Właśnie doszedłem do wniosku, że dopisało mi szczęście. Moja żona ma dobry gust. A tak poważnie: myśli pan, że ten teatrzyk na niego zadziała?

– Myślę, że to będzie wstrząs – powiedział Werner. – Z pewnością już wie, z jakiego powodu wezwaliśmy Kopytkę, i nie będzie czuł się zagrożony, kiedy przyjdzie jego kolej... Jest pan prawnikiem na tyle długo, że ma pan pojęcie, jak działa ludzka psychika. Proszę sobie wyobrazić, że zabił pan żonę, która każdego dnia deptała pańskie ego. Nikt pana nie podejrzewa, czuje się pan wolny...

– A wyrzuty sumienia? – przerwał mu słuchający z zainteresowaniem Jerczyk. – Jakieś jednak bym miał.

– Pan pewnie tak, ale proszę pamiętać, że zaszczuty człowiek nie myśli o sumieniu, tylko o obronie... Wysłałem znajomemu zdjęcia ofiar, bo prosił...

– Temu profilerowi?

– Temu profilerowi... Zdjęcie żony Szklarskiego też. Zwykle jest tak, że seryjni zabijają według klucza zrozumiałego tylko dla nich. Często ofiarami stają się osoby podobne do tej, która w umyśle zabójcy była jego krzywdzicielką. W tym przypadku jest inaczej i dlatego wcale nie jestem pewien, czy możemy uznać szewca za seryjnego. Każda z ofiar reprezentuje odmienny typ.

– Może nie chodzi o wygląd, tylko o zachowanie? – zastanowił się Jerczyk. – Może zrobiły coś, co skojarzyło mu się z żoną, i tym go sprowokowały?

– Może. W ustaleniu motywu pomoże nam, mam nadzieję, ten, jak pan go nazwał, teatrzyk.

W gabinecie Wernera atmosfera zgęstniała od napięcia. Sam gospodarz siedział przy biurku i robił wrażenie rozluźnionego, ale były to tylko pozory. Zdawał sobie sprawę, że ta konfrontacja z podejrzanym – bo Szklarski wciąż miał ten status – może pomóc oskarżycielowi w procesie lub utrudnić mu pracę. Od jego umiejętności zależało, która opcja wygra.

Jerczyk był zaintrygowany. Po raz pierwszy miał uczestniczyć w tak drobiazgowo przygotowanym przesłuchaniu. Po raz pierwszy miał również zobaczyć na własne oczy człowieka, który zabił trzy, a może cztery niewinne kobiety. Znał go tylko ze zdjęcia, a na nim Szklarski sprawiał wrażenie chodzącej przeciętności. Był jedną z tych osób, których obecności się nie zauważa. Prokurator był ciekawy, czy znajdzie w podejrzanym coś, czego będzie mógł się uchwycić w czasie procesu.

Łukasz i Tadzio siedzieli jak na szpilkach. Mieli być tylko obserwatorami, bo komisarz rozkazał całej trójce, żeby się zachowywali jak niemowy. Absolutnie im to nie przeszkadzało. Pełne napięcia oczekiwanie walczyło w nich z euforią, że mogą wziąć udział w czymś, co bardziej kojarzyło im się z amerykańskimi programami o policyjnych śledztwach niż z kraśnickimi realiami.

Ale tego, co miało się wydarzyć, nie spodziewał się nawet komisarz Werner, choć widział już niejedno.

Konstanty Szklarski spokojnie szedł za dwoma młodymi policjantami wąskim korytarzem. Wzrok miał wbity w szarobure linoleum o pewnie jeszcze peerelowskiej proweniencji, a skupiony był na jednym – zrobić to, czego od niego żądają, i jak najszybciej wrócić do swojego warsztatu, miejsca, w którym czuł się w miarę bezpiecznie. Po niezrozumiałym incydencie z poprzedniej nocy już i dom przestał być azylem. Najpierw ten okropny sen z Bożenką w roli głównej, a potem jakieś majaki o butach… Musiał lunatykować i nieźle się o coś rąbnąć, bo na podbródku miał potężnego siniaka, a bolała go cała dolna szczęka. Kiedy rano ocknął się na schodach, nie bardzo wiedział, co się stało, ale siniak nieźle go przestraszył. Uznał, że będzie musiał pójść do lekarza, bo najwyraźniej waleriana przestała działać.

Kiedy wszedł do gabinetu, siedzący pod oknem mężczyzna wstał i gestem zaprosił go, by usiadł. Konstanty zrobił to szybko, rejestrując w myślach, że bardzo grzecznie go traktują – przywieźli, nie każą czekać, pozwolili usiąść. Zwykle urzędy tak się nie cackały z petentami. Siedzących pod ścianą trzech mężczyzn nie dostrzegł, bo oczy miał spuszczone.

– Nazywam się Rafał Werner i jestem tu komendantem. Wezwaliśmy pana – ten, który mówił do Konstantego, miał przyjemny, niski głos – żeby obejrzał pan zdjęcia rzeczy należących do zamordowanych kobiet, znalezionych na terenie będącym pańską własnością, i powiedział, czy którąś z nich rozpoznaje. Bardzo nam to ułatwi pracę.

– Ależ proszęż, proszęż, oczywiście – wydusił z siebie Konstanty, zauroczony tym wersalem. Klienci zwykle zgłaszali żądania; przywykł do tego i uznawał za oczywistość. A tu urzędnik państwowy traktuje go z ogromną kurtuazją. Oderwał wzrok od blatu biurka i spojrzał wyczekująco na tego kulturalnego człowieka, od którego biło życzliwe zainteresowanie.

– W takim razie zapraszam. – Komendant wyszedł zza biurka. Na ułamek sekundy dotknął ramienia Konstantego i cofnął dłoń, nim ten zdołał się wzdrygnąć. – Dla wygody świadków wszystko umieściliśmy na manekinie. Proszę się dokładnie przyjrzeć, ale nie dotykać. To są dowody w sprawie.

Urzeczony przemową Konstanty odwrócił się ku udekorowanej tablicą ścianie, popatrzył na manekina i osłupiał.

– No, proszęż, proszęż – wyrwało mu się z niedowierzaniem. – To jakby mojej Bożenki? Ona tak lubiła różowe… Ale ja… Przecież ja wszystko wywiozłem do tych kontenerów… Buty! – Spojrzał błagalnie na Wernera. – Proszęż, proszęż, czy ja bym mógł dokładnie obejrzeć? Bożence klamerka odpadła i przykleiłem. Poznam swoją robotę!

Komisarz spokojnie podał mu lateksowe rękawiczki i pozwolił podejść do manekina. Szewc przykucnął, delikatnie zdjął różową szpilkę, po czym przyjrzał się jej z uwagą.

– To Bożenki! – oznajmił, widocznie wzruszony. – Nie miałem czasu wcześniej się przyjrzeć, bo mnie klientka poganiała. Stała nade mną jak kat nad dobrą duszą…

Jerczyk, Szczęsny i Skotnicki milczeli jak głazy, ale w ich głowach narastało przerażające podejrzenie, że źle wytypowali podejrzanego. Konstanty Szklarski zachowywał się jak człowiek absolutnie niewinny.

– Czy pozostałe rzeczy również należały do pańskiej żony? – zapytał nieco zduszonym głosem komisarz, nie spuszczając wzroku z szewca.

Konstanty troskliwie umieścił szpilkę na nodze manekina i wstał. Zakłopotanym gestem przetarł czoło, siadając z powrotem na krześle.

– No, ja… Proszęż, proszęż, buty poznam od razu, ale resztę… Bożenka lubiła różowe, ale ja… Tylko do butów mam pamięć. Mogę przysiąc, że Bożenki… Tylko dlaczego, proszęż, proszęż, one tutaj, kiedy ja je… Ale to chyba dobrze, że do potrzebujących trafiły? – zapytał i popatrzył niepewnie na komendanta.

– Skąd się wziął ten siniak na pańskiej brodzie? – Werner ominął jego pytanie.

– Chyba… – Konstanty speszył się jeszcze bardziej i wyszemrał zawstydzony: – Chyba o coś uderzyłem… Bo ja, proszęż, proszęż, lunatykuję… Bożenka mi kazała walerianę na to pić, ale pewnie już nie działa…

– W brodę się pan uderzył? – Komisarz uniósł brwi. – Trochę dziwne miejsce. Często miewa pan takie kontuzje?

– No, proszęż, proszęż, przeważnie to nogi mam poobijane o sprzęty – wyznał Szklarski z westchnieniem. – W spodniach nie widać. Taki widoczny siniak pierwszy raz mi się… Jak Bożenka żyła, to czułem się bezpieczniej. A teraz… Chyba bez lekarza się nie obejdzie, proszęż, proszęż. Nie dość, że lunatykuję, to jeszcze buty mnie we śnie prześladują. A przecież ja uwielbiam swoją pracę!

– Proszę mi o tym opowiedzieć – zaproponował komisarz łagodnie.

– O pracy? – Konstanty zamrugał oczami.

– O koszmarach, które pana prześladują.

– Proszęż, proszęż, ale to... No, dobrze. Tylko żeby się pan nie śmiał...

Poranną zmianę w aptece miała prześliczna Ida. Sławek, korzystając z wolnego czasu, zabrał się do budowy kompostownika. Dzięki znajomościom Marty Artymowicz, która chyba rzeczywiście wiedziała wszystko o wszystkich, udało mu się zdobyć odpowiednio wiele wysezonowanych desek. Zamierzał je zamienić w najpiękniejszy i najbardziej ekologiczny kompostownik na swojej ulicy (a może i w całym mieście). Poprzedni wieczór spędził przy komputerze, oglądając rozmaite modele, po czym do późnej nocy rysował dokładny plan, w różnych rzutach i ze wszystkimi wymiarami. Choć miał dyplom magistra farmacji, czuł się prawie jak inżynier. Spadek dostała Marylka, zatem on musiał zademonstrować, że nie odpowiada mu rola pasożyta, i pokazać, co potrafi.

Ponieważ od rana panował upał, Lipski schronił się pod drzewami i pracował z zapałem, zapomniawszy o bożym świecie.

Marylka siedziała przy kuchennym stole i marszcząc brwi, zastanawiała się, co zrobić na obiad. To powinno być coś smacznego i możliwego do spożycia w tropikalnym upale. Na chłodnik już oboje nie mogli patrzeć, choć Lipska za radą Maminki codziennie ambitnie zmieniała dodatki.

W momencie gdy przypomniała sobie o rosnącym w kącie ogrodu szczawiu i postanowiła ugotować z niego zupę, w kuchni zameldował się Belzebub, wlokąc w pyszczku szeleczki. Za nim wiła się gustowna czerwona smycz.

– Oj, kiciu – zakłopotała się Marylka – to chyba nie jest najlepsza pora, wiesz? Potem się zrobi jeszcze goręcej i ugotuję w kuchni siebie zamiast szczawiówki. Może przełożymy spacerek na wieczór, co? – zaproponowała, patrząc błagalnie na kocura.

Belzebub wypluł szeleczki, spojrzał na nią z oburzeniem i wydał z siebie gniewne miauknięcie.

– No, dobrze. – Marylka westchnęła. – Zaraz wyjdziemy. Ale uprzedzam cię, długo w ogrodzie nie pobędziemy, bo Sławek majsterkuje i okropnie się tłucze. Na niego chyba hałas nie działa, ale ja nie jestem taka odporna... No, chodź, chodź. Już ci zakładam...

Kiedy Marylka wyszła z kotem przed dom, jej małżonek pod osłoną dwóch dorodnych jabłoni dobijał właśnie deskę, wpasowując ją w zrobione wcześniej nacięcie.

– Pracuj, Sławuś, nie przeszkadzaj sobie – powiedziała pośpiesznie, bo na chwilę powstrzymał ruch ręki dzierżącej młotek i rzucił jej pytające spojrzenie. – Pójdę z Belzebubem za dom. Tam pewnie będzie trochę ciszej...

Kocur najpierw dokładnie obwąchał rozłożone na trawie deski, a potem majtnął pogardliwie ogonem i wolno powędrował na tyły posesji. Marylka potulnie podreptała za nim.

Przysiadła pod parasolem na ogrodowym krzesełku, poluzowała smycz i popadła w zadumę.

Urodziła się i właściwie przez całe życie mieszkała w Lublinie. Wydawało jej się, że tak będzie już zawsze, a tymczasem nieprzewidywalny los przywiódł ją do Kraśnika. I to małe, prowincjonalne miasteczko okazało się dla nich obojga bardziej szczodre niż ich rodzinna miejscowość. Mieli własny dom, własną aptekę, a wokół siebie coraz więcej życzliwych, przyjaznych ludzi. Wiedziała, że Lublin zawsze będzie dla niej ważny, ale nie miała nic przeciwko temu, by ich dzieci dorastały w Kraśniku. Ona wróciła w strony matki; może kiedyś ich potomstwo wybierze jej rodzinne miasto? A może wyfrunie jeszcze dalej? W dzisiejszych czasach cały świat stoi otworem...

Belzebuba nie interesowały przemyślenia Marylki, bo kombinował, jak dostać się na wierzch żywopłotu i przeskanować wzrokiem najbliższą okolicę w poszukiwaniu kolejnego trofeum do kryjówki za wersalką. Raz tylko przepłoszył go z łączki ten zwyrodnialec, który usiłował go kopnąć, ale z pozostałych nocnych eskapad to i owo sobie przyniósł. Choć bardzo się namęczył, zanim udało mu się przepchnąć przez otwór w okiennej siatce małą plastikową butelkę (cudownie trzaskała pod zębami), aromatycznie woniejący wędzoną rybą zmięty papier śniadaniowy i znaleziony w czyimś ogrodzie drewniany kręgiel, który świetnie nadawał się do gryzienia i turlania.

Przez chwilę oceniał wzrokiem przystrzyżony przez Lipskiego żywopłot. Postanowił zaryzykować. Odbił się mocno od podłoża i wylądował na wierzchu gęstwiny. Trochę kłuło w łapy, ale dało się wytrzymać. Przeszedł kawałek, znalazł miejsce, gdzie było nieco więcej listowia, oparł się przednimi łapami na poziomej listwie ogrodzenia i wyjrzał na zewnątrz. Nic ciekawego nie wypatrzył i już miał porzucić stanowisko obserwacyjne, gdy dojrzał ruch przy sąsiedniej posesji. Znieruchomiał jak czarny posążek i wbił wzrok w mężczyznę, który szedł od strony łączki wzdłuż ogrodzenia sąsiada. Kiedy ten rozejrzał się czujnie na boki, a potem jednym skokiem przesadził sztachety, Belzebub natychmiast skojarzył ten ruch. To był jego śmiertelny wróg, ten, który próbował mu zrobić krzywdę. Spiął się i runął przed siebie jak pocisk, wyrywając zadumanej Marylce smycz z ręki.

Przez moment nie rozumiała, co się stało i skąd to szarpnięcie. Kiedy oprzytomniała, rzuciła się do żywopłotu, ale zobaczyła tylko mknącego przez sąsiedzki ogród, wlokącego za sobą czerwoną smycz kocura, który nagle przyhamował, ostrożnie podkradł się pod okno i zastygł, nasłuchując. Nim zszokowana Marylka zdążyła otworzyć usta, Belzebub znalazł się na parapecie i zniknął we wnętrzu domu, a po chwili ze środka dobiegł mrożący krew w żyłach wrzask.

Przerażona Marylka pobiegła na podwórko, wielkim głosem wzywając Sławka.

Kiedy speszony Szklarski opowiadał o swojej nocnej kontuzji i wyznał, że wstrząsnął nim niesamowicie realny obraz nieznanych mu butów widzianych we śnie, a potem straszny ból, w oczach komisarza Wernera coś błysnęło. Już miał wydać odpowiednie polecenie Tadziowi Skotnickiemu, ale w tym momencie zapaliło się światełko interkomu. Sekretarka nieśmiało poinformowała, że przyszła koperta z warszawskiego laboratorium z napisem „PILNE". Przeprosił przesłuchiwanego i wyszedł z pokoju.

– Panie Konstanty, czy zechciałby pan chwilę zaczekać w sekretariacie? – zapytał po powrocie. – Poproszę pana za moment i dokończymy, dobrze?

Kiedy za Szklarskim zamknęły się drzwi, Werner westchnął i potoczył wzrokiem po współpracownikach.

– To nie on – powiedział, siadając ciężko przy biurku. – Byłem przy sekcji pierwszej ofiary. To nie było zadzierzgnięcie, tylko zadławienie. Zabójca załatwił sprawę gołymi rękami. To rzadkie. Zdarza się przy morderstwie w afekcie, ale ofiara zwykle się broni. Zostają ślady walki. Długo rozmawiałem z Brożkiem. Nie bardzo wierzył, że da się zebrać odciski palców z szyi denatki, ale udało mi się go przekonać. Mam znajomego w warszawskim Instytucie Medycyny Sądowej. Po długich namowach zgodził się przyjechać. Najpierw zdjął ślady z szyi, a dopiero potem swoje zrobił Brożek. Dziś dostałem wyniki. Odciski palców nie należą do Szklarskiego. Są za to identyczne z tymi, które nasi technicy znaleźli na torebce i pasku kolejnych ofiar. W naszej bazie ich nie ma. I jeszcze jedno: morderca nosi na serdecznym palcu lewej ręki obrączkę albo sygnet.

Prokuratorowi i Szczęsnemu zrzedły miny. Tylko sierżant Skotnicki sprawiał wrażenie zafascynowanego.

– Ktoś go wrabia – dodał Werner twardo. – Musimy...

Zanim zdołał sprecyzować, co muszą, w kieszeni Tadzia sygnałem esemesa zapikała komórka. Przez chwilę nie wiedział, jak zareagować, i już miał ją wyciszyć, ale spojrzał na wyświetlony numer i bez namysłu wcisnął guzik, nie zwracając uwagi na pełen nagany wzrok Łukasza.

– „Pomocy – przeczytał na głos. – Belzebub zaatakował włamywacza. Pan przyjedzie, zanim go zagryzie. Dom sąsiada. Wleźliśmy przez okno. Szybko!". To Lipski! – Sierżant podniósł głowę i spojrzał na komisarza błagalnie. – Szefie, mogę?

– Jedź – zdecydował bez namysłu Werner. – Poradzisz sobie sam?

– Jasne!

– Zgarnij go i od razu do mnie. Porozmawiamy sobie od serca.

– Rozkaz, szefie! – Tadzio wyprysnął z gabinetu jak wystrzelona rakieta.

– Ten kot jest straszny – powiedział ze zgrozą Jerczyk. – Autentycznie zaczynam się go bać! Jednego ubił osobiście, znalazł trzy denatki ubite przez kogoś innego, a teraz jeszcze zaatakował jakiegoś faceta w cudzym domu! Lipscy się nie wypłacą do końca życia, jeśli ten człowiek wniesie skargę!

– A wniesie? – Szczęsny uniósł brwi. – Jego w ogóle nie powinno być w tym domu bez wiedzy właściciela.

– Kot też, zdaje się, Szklarskiego o wizycie nie powiadamiał – odbił piłeczkę prokurator.

– Spokojnie, panowie! – Komisarz uniósł ręce pojednawczym gestem. – O to będziemy się martwić, jak nam Skotnicki dostarczy tego pechowego włamywacza. Na razie bardziej niż kot intrygują mnie buty ze snu Szklarskiego, które prześladują naszego podejrzanego. Nie wydaje wam się, że mogą mieć coś wspólnego z tym siniakiem?

– Przyjrzałem mu się. Ewidentnie oberwał pięścią – powiedział Szczęsny. – Wiele razy widywałem takie ślady po domowych bójkach. W Kraśniku nie brakuje damskich bokserów.

– Jeśli to ten sam, co zabija, to musi być praworęczny, bo sygnet czy obrączka by się odcisnęły – stwierdził po namyśle prokurator.

– Myśli pan, komisarzu, że Szklarski poprzedniej nocy też miał niezapowiedzianą wizytę? – Łukasz spojrzał na Wernera z błyskiem w oku. – Może nawiedził go ten dziś upolowany przez kota?!

– Nie dzielmy skóry na niedźwiedziu – zastopował go komendant. – Zobaczymy, kogo nam tu Skotnicki przywiezie… A na razie porozmawiamy sobie ze Szklarskim o głównych bolączkach męskiej egzystencji, czyli o żonie i wrogach.

Nim Tadzio dopadł samochodu, zdążył wysłać do Lipskiego wiadomość, że pomoc nadciąga, po czym ruszył jak rajdowiec, bo obawiał się, że krwiożercza kocia bestia może nieodwracalnie uszkodzić nieszczęsnego amatora cudzej własności.

Dzięki temu, że jechał bocznymi uliczkami, udało mu się uniknąć ruchliwej Urzędowskiej i świateł. Po kwadransie zaparkował przed domem Szklarskiego, wyskoczył z auta i pognał do furtki.

– Policja! – oznajmił donośnie, dobijając się do drzwi frontowych. – Otwierać!

– Ale… panie sierżancie – rozległ się ze środka zduszony, rozedrgany głos Sławka – myśmy wleźli oknem… Tam z tyłu…

– Panie Lipski, otwieraj pan te drzwi! – zirytował się Tadzio. – Co to jest? Zasuwa?

– No… Zasuwa… – wystękał Sławek. – Ale…

– Otwieraj pan, mówię! A od okna trzymajcie się z daleka! Tam ślady mogą być!

Sławkowi udało się wreszcie pokonać zdenerwowanie i przekręcić zasuwę. Sierżant Skotnicki wpadł do środka i spojrzał pytająco na Lipskiego, który pod naciskiem jego wzroku zmobilizował resztki przerażonego intelektu.

– Tu na prawo. – Machnął rozdygotaną ręką, w której trzymał młotek. – Leży na podłodze, Belzebub siedzi na nim, a Marylka pilnuje, żeby go nie zagryzł… Bluzga okropnie… Ten facet, nie Belzebub…

Tadzio pośpiesznie wszedł do pokoju, a widok, jaki zastał, sprawił, że na jego obliczu odmalowała się zgroza połączona z niedowierzaniem.

Na podłodze obok masywnego dębowego biurka zalegał sporych gabarytów osiłek, a w jego plecy wczepiony był czarny nastroszony upiór. Upiór wydawał z siebie wściekły warkot przy najmniejszym drgnięciu ludzkiego podłoża, podłoże zaś wyło przeraźliwie, każdy ruch bowiem aktywizował kocie pazury, które coraz boleśniej się zagłębiały w ciało.

Obok stała roztrzęsiona Marylka, wygłaszając do rozjuszonego kocura błagalne litanie.

– Nie uwierzyłbym, gdybym sam tego nie zobaczył – mruknął zapatrzony Tadzio. Oprzytomniał, kiedy z ust sponiewieranej ofiary poleciała soczysta wiązanka. – Da pani radę zdjąć z niego tego czorta? Bo kota na komendę wolałbym nie zabierać…

Marylka na widok znajomego policjanta odetchnęła z ulgą, ale obawiała się, że Belzebub tak łatwo nie wypuści zdobyczy z łap. Zachowywał się, jakby uznał włamywacza za osobisty łup. Co było dla niej niezrozumiałe, bo mogła przysiąc, że nigdy wcześniej faceta nie widziała. Ani w okolicy ich domu, ani nawet w miasteczku.

– Belzebub, kiciuniu, zejdź już z niego – poprosiła przymilnie, kucając obok i ściągając ku sobie trzymaną kurczowo w dłoni smycz.

Kocur ani drgnął, tylko mocniej wbił pazury w plecy nieszczęśnika, który wrzasnął z bólu.

– No, ja wiem, że to zły człowiek jest – przyznała Marylka. – Już go złapałeś. Teraz pan sierżant się nim zajmie. Już go nie musisz pilnować… Belzebub, ja cię błagam, zejdź, kochany, bo w końcu wszystkich nas zamkną. To cudzy dom, nie powinno nas tu być… No, chodź, skarbie…

Kocur siedział jak przymurowany i nie przestawał warczeć, a Marylce zabrakło argumentów. Rzuciła rozpaczliwe spojrzenie na męża, który poczuł się zobligowany do działania.

– Belzebub, złaź! – powiedział stanowczo. – Nie wiem, co masz do faceta, ale już dostał za swoje. Nie zapomni cię do końca życia… Złaź z niego!

Kot niechętnie poddał się naciskowi smyczy i zdecydował oddać łup dwunożnym. W zasadzie swoje zrobił. Nie tylko dorwał drania, który chciał go skrzywdzić, lecz także boleśnie mu odpłacił. Zabijać go i tak przecież nie zamierzał. Poniechał warkotu, pozwolił się wziąć Marylce na ręce, ale nie spuszczał czujnego spojrzenia z pokonanego wroga.

Sierżant Skotnicki na wszelki wypadek odczekał, aż kocia bestia zostanie spacyfikowana, po czym podszedł do leżącego i bez żadnego miłosierdzia dla jego cierpień jednym ruchem poderwał nieszczęśnika do pionu, a potem błyskawicznie skuł. Przy okazji rzucił mu się w oczy gruby srebrny sygnet na lewej ręce aresztanta. W Tadziowym sercu błysnęła nadzieja. Może ten cholerny kot miał większy fart niż oni i jakimś cudem dorwał mordercę?

– Co tu robisz? – zapytał, bezceremonialnie wyłuskując z tylnej kieszeni ofiary Belzebuba portfel, z którego wyjął dowód osobisty. – Mariusz Drabek… Drabek? Ty drab cały jesteś, a nie drabek… Co tu robisz?

Drab jednak chyba nie zamierzał udzielić mu odpowiedzi, bo jednym rzutem oka ogarnął trójkę ludzi, nienawistnie łypnął na kota i nie zważając na krępujące go kajdanki, nieoczekiwanie zaprawił sierżanta bykiem. Już miał się zerwać do ucieczki, ale wtedy zareagował Lipski. Widząc przed sobą pochylony kark bandziora, odruchowo machnął ściskanym w ręku młotkiem. Uderzenie nie było nokautujące, bo Sławek ze względu na stojącą obok Marylkę nie wziął porządnego zamachu, ale wystarczyło, by Tadzio złapał oddech i przyłożył aresztowanemu w krocze. Ten wrzasnął i opadł na kolana, a sierżant Skotnicki sapnął ze złością:

– Ożeż, kurka flaczek, toś ty taki? Dwa paragrafy już zaliczyłeś. Pewnie jeszcze coś się znajdzie, jak się porządnie rozejrzę... Czego szukałeś w tym domu, Drabek?

– Niczego – wystękał pechowy włamywacz, nie mając siły podnieść się z kolan. – Ten wściekły kot mnie zaatakował, zobaczyłem tu otwarte okno i chciałem się scho...

– Belzebub?! Wściekły?! – W Marylce natychmiast zawrzało. – Panie sierżancie, to nieprawda! Byłam w ogrodzie, kiedy Belzebub zobaczył, że on się włamuje, i poleciał za nim! Wyrwał mi się! Chcieliśmy go stąd zabrać, ale nie dał się ruszyć. No to uznałam, że trzeba odebrać mu łup, bo inaczej kot mi tu zostanie do końca świata. I dlatego Sławek wysłał panu esemesa.

– Proszę się nie przejmować, wszystko sprawdzimy – uspokoił ją Tadzio. – Coś mi się widzi, że nasz komisarz chętnie z nim pogada. A do państwa mam prośbę. Poczekajcie tu przed domem, aż przyjedzie nasza ekipa, bo zaraz wezwę techników, żeby zbadali ślady. Drzwi otwarte, a...

– Możemy zamknąć i wrócić do siebie przez okno – zaproponował Sławek uczynnie.

– Nie możecie, bo zniszczycie resztę śladów – uciął sierżant. – Przypomnijcie sobie, czego tu dotykaliście, i powiedzcie o tym chłopakom... Dobra. Zabieram tego niedobitka... Wstawaj, Drabek!

Werner, Jerczyk i Szczęsny wysłuchali peanów Szklarskiego na temat zmarłej połowicy z mieszanymi uczuciami, bo mieli w pamięci opowieści rodziny i znajomych Bożenki. W głosie Konstantego nie zadźwięczała ani jedna fałszywa nutka, doszli zatem do wniosku, że ślepe zaufanie do ukochanej osoby bywa uciążliwe dla ufającego, ale nie kwalifikuje się jako przestępstwo. Coraz bardziej byli pewni, że Szklarskiego ktoś próbuje wrobić, i w głębi duszy wszyscy trzej mieli nieśmiałą nadzieję, że powrót Tadzia z interwencji naprowadzi ich na konkretny ślad.

– Czy pańska żona miała wrogów? – zapytał w końcu zrezygnowany Werner.

– Bożenka? No, proszęż, proszęż, a z jakiego powodu? – zdziwił się naiwnie Konstanty. – Miła była, grzeczna, zawsze uśmiechnięta... Komu ona mogła wadzić? Wie pan, ona młoda była, to do ludzi jej się chciało. W domu młodemu nudno, więc od czasu do czasu wyjeżdżała. Sama, bo ja... – Machnął ręką. – Bożenka często się śmiała, że strach ze mną gdziekolwiek się pokazać. Bo człowieka nie zapamiętam, ale buty to na pewno... – Oczy mu się zaszkliły na wspomnienie żony.

– A przyjaciół? – drążył komisarz z nadzieją, że usłyszy choć jedno nazwisko, którego mógłby się uczepić.

Szklarski otworzył usta, ale zamknął je bez słowa i w jego oczach błysnęło zakłopotanie.

– No, proszęż, proszęż... Nigdy się nad tym nie zastanawiałem, ale jak pan pyta... Nie mam pojęcia właściwie. Do nas nikt nie przychodził – powiedział niemal przepraszająco. – Bożenka miała na głowie dom i butik, a ja z pracy wracałem po osiemnastej i też już zmęczony byłem. Może w ciągu dnia spotykała się z jakimiś przyjaciółkami, ale tego nie wiem. Po południu to lubiła oglądać seriale albo przy laptopie siedzieć…

– A miałby pan coś przeciwko temu, żeby nasi informatycy przejrzeli zawartość tego laptopa? – Werner nie spuszczał oka ze Szklarskiego.

– Ależ proszęż, proszęż – odparł Konstanty bez namysłu. – W każdej chwili mogę przynieść…

– Nie ma takiej potrzeby – zapewnił go komisarz. – Ktoś się do pana włamał, więc i tak…

– Jak to, proszęż, proszęż? – Szklarski zrobił wielkie oczy i ze zgrozą zapytał: – Do warsztatu?!

– Do domu…

– A, to dzięki Bogu, proszęż, proszęż. – Konstanty odetchnął z ulgą. – Gotówkę trzymam na koncie, kartę mam przy sobie, mogą się włamywać. Warsztat to co innego, tam trzymam cudzą własność i odpowiadam za nią…

– Panie Szklarski – wyrwał się nagle Szczęsny, zapominając, że obaj z Jerczykiem mieli się nie odzywać – a może pan sprawdzić, czy ma pan tę kartę?

Komisarz rzucił mu krótkie spojrzenie i przeniósł wzrok na szewca. Ten posłusznie wyjął portfel i zaczął w nim grzebać. Najpierw spokojnie, potem coraz bardziej gorączkowo.

– No, proszęż, proszęż – wysapał zdenerwowany. – Jeszcze wczoraj tu była. Pamiętam, bo płaciłem rachunek w aptece… Chyba jej tam nie zostawiłem… Będę musiał zastrzec na wszelki wypadek… No, proszęż, proszęż, taki ambaras…

– Niech się pan nie martwi, panie Szklarski – pocieszył go Werner. – I wstrzyma się z wizytą w banku. Spróbujemy odzyskać pańską kartę. Bank też powiadomimy w razie czego…

Wzruszony Konstanty nie wiedział, jak dziękować. Kopytko się śmiał z niego, kiedy wyznał, że po butach potrafi ocenić charakter ich właściciela, a przecież nie kłamał – tylko spojrzał na obuwie komendanta i od razu wiedział, że to porządny, bardzo odpowiedzialny człowiek.

– Na razie to chyba wszystko, prawda? – Komisarz obejrzał się na dwójkę współpracowników, którzy skinęli głowami. – Gdybyśmy jeszcze pana... – Przerwał mu sygnał interkomu. – Moment... – Tym razem nie przełączał na głośnik, tylko podniósł słuchawkę. – Co tam?... Wrócił?... Aha, świetnie! Niech zaczeka, zaraz go wezwę. – Rozłączył się i wyciągnął rękę do Szklarskiego. – Gdybyśmy jeszcze pana potrzebowali, ktoś od nas zgłosi się do pana. Na razie dziękujemy. I proszę się nie przestraszyć, bo już chyba u pana w domu pracują nasi technicy. Od razu może im pan przekazać tego laptopa żony...

Konstanty z wielkim szacunkiem uścisnął podaną mu dłoń, skłonił się siedzącym z boku małomównym panom i poszedł za Wernerem, który otworzył drzwi gabinetu.

– Sierżancie, techniczni już pojechali?

– Pojechali. Powiadomiłem ich od razu.

– W takim razie... – Komisarz zastanawiał się przez chwilę, wreszcie skinął głową na sekretarkę. – Proszę zorganizować podwózkę dla pana. Niech pani sprawdzi, który radiowóz... Panie Konstanty, co się stało? Źle się pan czuje? – Chwycił Szklarskiego za ramię, bo ten wpatrywał się w nogi przyprowadzonego przez Skotnickiego aresztanta, jakby ducha zobaczył.

– Te buty... – wyjąkał oszołomiony szewc. – Takie same mi się śniły... Takie same... O, widzi pan? – Pokazał palcem. – Tu na przodzie jest różowa plamka... Chyba z lakieru do paznokci... Takie same mi się...

– Sierżancie, zabieraj go stąd – polecił ostro Werner, bo aresztowany obrzucił Szklarskiego nienawistnym spojrzeniem i widać było, że lada moment wybuchnie. – Do mnie! Zaraz do was dołączę... Panie Konstanty, proszę tu zaczekać – zwrócił się do oszołomionego Szklarskiego. – Ktoś zaraz odwiezie pana do domu...

Marylka siedziała na kanapie, nogi oparła wygodnie na pufie i popijała herbatę, w której pływały kostki lodu. Obok niej leżał rozwalony Belzebub, wystawiając na jakikolwiek przewiew czarny jak smoła brzuch i masywne łapy (Sławek mawiał o tej pozycji: kołami do góry).

Wszystkie okna w domu, od dawna zabezpieczone siatką, były otwarte na oścież; na podłodze stał wielki wentylator, jednak nic to nie pomagało. Marylka miała wrażenie, że za chwilę się rozpłynie. W aptece mieli klimatyzację, dzięki której dawało się jakoś wytrzymać. W domu za to czuła się jak skwiercząca na patelni skwarka. Każdy ruch wymagał przeraźliwego wysiłku, uznała więc, że jedyną szansą na przetrwanie w tym tropikalnym upale jest całkowita stagnacja, a jedynym pożytecznym działaniem – podniesienie do ust szklanki z jakąkolwiek zimną cieczą. Na samą myśl, że Sławek w taki żar wykonuje prace ogrodowe, robiło jej się słabo. Co z tego, że wyszedł przyodziany jedynie w krótkie porcięta typu Hawaje po polsku, czyli przeraźliwie jaskrawe gacie ozdobione rzucikiem w wytrzeszczone biedronki, i nasmarowany kremem z filtrem, skoro atmosfera na zewnątrz przypominała gorącą zupę...

Marylka pośpiesznie zrezygnowała z rozważań na temat mężowskiej działalności, bo od samego myślenia oblały ją poty. Spojrzała na rozwalonego Belzebuba i wróciła uraza, którą od kilku dni w sobie nosiła. W całym miasteczku po aresztowaniu zabójcy plotki wybuchły jak gejzer. Wyobraźnia ludzka nie znała granic, wymyślano głupoty, które normalnemu człowiekowi jeżyły włos na głowie. Gdyby uwierzyć we wszystko, co kolportowały tutejsze plotkary, Amityville mogłoby Kraśnikowi buty czyścić.

Plotki plotkami, ale Marylka uważała, że została przez policję obrzydliwie zlekceważona. W końcu to jej osobisty kot najbardziej się zasłużył. Gdyby nie Belzebub, te biedne nieboszczki mogłyby leżeć w łąkowych pokrzywach nie wiadomo jak długo. Pogoda dopisywała, a powszechnie wiadomo, że zwłoki specjalnie upojnego aromatu nie wydzielają. Nie dość, że znalazca byłby narażony na mało estetyczne widoki, to jeszcze niezbyt atrakcyjne wonie zasnułyby całą okolicę. Zapobiegł temu najmądrzejszy kot na świecie, czyli Belzebub. On informował Marylkę, Marylka informacje przekazywała policji. Coś jej się chyba, do diabła, należy! Ekwiwalenty pieniężne jej nie interesowały, ale nie miałaby nic przeciwko, by dowiedzieć się, co i dlaczego się wydarzyło.

– Zrobiłem! – oznajmił tryumfalnie Sławek, który porzucił tropiki na rzecz domowych pieleszy. – Zainstalowałem i nalałem im wody. Takiej zimnej, z węża. Będą miały własny wodopój.

– Kto? – zapytała nieuważnie Marylka, wyrwana z zadumy.

– Ptaki! – Mąż spojrzał na nią z urazą. – Mówiłem ci przecież, że te upały wszystkim dokopują. Jeśli chcemy mieć własny skrzydlaty inwentarz, musimy o niego zadbać. Zrobiłem im poidełka i przymocowałem do drzew. A w kącie ogrodu postawiłem tę ciężką kamienną donicę na nóżce i też nalałem wody. Wiesz, że ptaki uwielbiają się kąpać? Widziałem w programie o ogrodach. Będą miały własny basen!

– Aha. Fajnie – powiedziała apatycznie Marylka i westchnęła rozdzierająco. – Czuję się parszywie. Olali nas.

– Kto? – Sławek zamrugał oczami, usiłując zrozumieć, co żona ma na myśli.

– Policja… W końcu napracowaliśmy się oboje z Belzebubem. Chyba nam się należą jakieś wyjaśnienia? O kurhanku wszystko powiedzieli.

– No, wiesz… – zaczął Sławek ostrożnie. – Kurhanek jednak był nieboszczykiem rodzinnym i to Belzebub go skasował. Pewnie dlatego nam powiedzieli. Tym razem to zupełnie obcy element…

– Trzy elementy! – warknęła Marylka. – Każdy znaleziony przez Belzebuba! Znaleźne się chyba należy?

– Będziesz robić amulety czy odczyniać uroki? – zainteresował się uszczypliwie Sławek, który spodziewał się ognistej pochwały za swoje ogrodowe dokonania, a został bezlitośnie zlekceważony.

– Dlaczego uroki i amulety? – zdziwiła się Marylka.

– Jeśli znalazłaś zwłoki, jakie chcesz dostać znaleźne? Kawałek paluszka nieboszczki? Takie rzeczy to kiedyś wiedźmom były potrzebne do różnych podejrzanych prak...

– Sławek! – Marylka łypnęła na męża złowrogo. – Nie zamierzam zakładać panoptikum! Wbrew pozorom jestem normalna! Brałam udział w śledztwie? Brałam! Pomagałam policji? Pomagałam! Te wszystkie plotki już mi uszami wychodzą! Chcę wiedzieć, co naprawdę się stało!

– Z tym braniem udziału i pomaganiem to ja bym nie przesadzał. – Sławek pokręcił głową z wyraźnym powątpiewaniem. – Raczej dostarczałaś im roboty. Nie wydaje mi się, żeby policja miała ochotę zdradzać tajemnice śledztwa osobom postronnym.

– Przecież nie będę latała z megafonem po całym Kraśniku! – rozzłościła się Marylka. – Dla siebie chcę wiedzieć! Jakieś odszkodowanie za straty moralne mi się chyba należy? Myślisz, że to takie przyjemne trzy razy oglądać obce zwłoki?

– A jak znajome to lepiej? – zainteresował się Sławek. – Marylka, odpuść sobie. Obawiam się, że tym razem twoja ciekawość nie zostanie zaspokojona.

– Tak mówisz? No to zobaczymy! – W głosie małżonki dźwięczała stal i Lipski serdecznie pożałował każdego śledczego, którego Marylka dopadnie.

Magister Lipska solennie wykonywała swoje obowiązki w godzinach pracy, nieco mniej wysilała się w domu, bo upały zniechęcały ją do wszelkich wymagających wysiłku robót, ale przez cały ten czas kombinowała, z której strony i do kogo uderzyć, by uzyskać informacje z pierwszej ręki. Olśniło ją, kiedy przeszukując czeluści torebki, przypadkowo natknęła się na ulotkę promującą „Echo Kraśnika". Podane były na niej numery kontaktowe poszczególnych redaktorów, a między nimi widniał numer służbowej komórki Lukrecji Szczęsnej.

Przez chwilę się wahała, a potem wzięła głęboki oddech i zadzwoniła.

– Dzień dobry. Nazywam się Maryla Lipska i jestem współwłaścicielką apteki Teresa. Pewnie mnie pani nie pamięta, kiedyś w waszej gazecie wykupiłam ogłoszenie...

– Oczywiście, że pamiętam. – Marylka odetchnęła z ulgą, głos pani redaktor brzmiał bowiem ciepło i przyjaźnie. – Nasłuchałam się o pani i kocie od męża. No i mieszkamy przy tej samej ulicy... Chce pani skorzystać z usług naszej gazety? To może ja zawołam...

– Nie, nie! – zaprzeczyła szybko Marylka. – Prośbę mam raczej nietypową i jak najbardziej do pani. I prywatną, ale dzwonię pod numer służbowy, bo innego nie znam... Pani redaktor, jeśli mąż opowiadał pani o mnie, to pewnie wie pani, że to ja i Belzebub znajdowaliśmy te nieboszczki?

– Wiem i przyznam, że ten fenomen mnie fascynuje, bo nie mam pojęcia, skąd kot wiedział, że one tam są – wyznała Luka szczerze.

– Och! – Marylka prawie zachłysnęła się ze szczęścia, że okazja sama wpada jej w ręce. – Ja bym pani mogła to wszystko dokładnie wyjaśnić, tylko... Rany, no nie będę ściemniać... Baba jestem, więc ciekawość jest u mnie zjawiskiem naturalnym. Wszystkie nieboszczki oglądałam jako pierwsza, a ciągle nic nie wiem poza tym, co plotkary opowiadają. Czy to byłoby przestępstwo, gdybym zaprosiła państwa na sąsiedzki poczęstunek? Pogadałybyśmy sobie, zobaczyłaby pani Belzebuba w całej krasie, a ja przy okazji... No, kurczę, ciekawa jestem jak cholera. Może mnie pani mąż za to od razu nie aresztuje... I, przysięgam, nie chlapnę nigdzie jęzorem na ten temat! – obiecała żarliwie. – Tylko tak strasznie chciałabym wiedzieć!

– Łukasz chyba już przywykł, że wszyscy go traktują jak kronikę policyjną – powiedziała rozśmieszona Lukrecja. – Nie pani pierwsza chce zaspokoić swoją ciekawość. Moja matka zawsze go wypytuje, znajomi...

– Oj, to może już przekroczył limit i ja się nie załapię – zmartwiła się Marylka.

– Moja matka jest na wakacjach, więc chyba się pani załapie – zaśmiała się Luka. – Rozumiem, że mam przekonać męża do wizyty towarzyskiej połączonej z przesłuchaniem?

– Postaram się za bardzo nie naciskać – westchnęła Marylka. – I zrewanżować się od razu za informacje. Kucharka ze mnie nie bardzo wybitna, ale na szczęście jest gorąco, a menu sałatkowe mam opanowane. Poradzę sobie.

– Świetnie. Bardzo się cieszę, że wreszcie będę mogła zobaczyć na własne oczy tego niesamowitego kota... Kiedy mamy przyjść?

– Może być ten piątek? – zapytała Marylka niepewnie. – My oboje pracujemy w stałych godzinach, ale państwo pewnie...

– Porozmawiam z Łukaszem i oddzwonię do pani, dobrze? Bo za chwilę mam umówione spotkanie i trochę się śpieszę... A, jeszcze jedno. Na pierwszą wizytę nie przychodzi się z pustymi rękami. Co mogę zrobić, żeby wkupić się w łaski Belzebuba? Koty obronne – w głosie Luki dźwięczały nutki rozbawienia – są chyba nietypowe?

– Gdzie ten Sławek? – pojękiwała gniewnie Marylka, sprawdzając po raz setny, czy ilość lodu w pojemniku na pewno jest wystarczająca. – Ile czasu można robić zakupy w sklepie oddalonym o kilkaset metrów od domu? Jak myślisz, Belzebub? – Obejrzała się na kocura, który zaległ na podłodze w wejściu do kuchni, licząc na odrobinę przewiewu. – On ten samochód pcha czy ciągnie na sznurku? Bo że go nie porzuci w razie awarii, to jestem pewna. Prędzej chyba mnie by zostawił... No, jesteś wreszcie! – sapnęła niecierpliwie, gdy usłyszała trzaśnięcie drzwi wejściowych. – Tyłem jechałeś czy co? Sławuś, ja cię nie wysłałam do sklepu w ramach rekreacji! Mnie te zakupy są potrzebne! Kupiłeś wszystko z kartki?

– Kupiłem – mruknął Lipski z dziwną miną. – Zrobiłem nawet nadprogramowe zakupy, bo uznałem, że powinnaś być na bieżąco w tutejszym asortymencie, a ja bym tego nie zapamiętał...

– Co ty bredzisz? – Marylka obrzuciła go podejrzliwym spojrzeniem. – Upał ci zaszkodził? Dawaj te zakupy, bo muszę skończyć sałatkę. – Wyrwała mężowi torbę z logo jednego z kraśnickich marketów i zaczęła wykładać jej zawartość. – Szczypior, koperek, natka pietruszki... O, lubczyk w doniczce. Fajnie, przyda się... Grzybki, szynka... O, i grzaneczki! Super! Oszczędzę sobie roboty... – Wyjmowała pośpiesznie kolejne wiktuały, aż dotarła do foliowej torebki, w której tkwiła foremka z folii aluminiowej, a w niej coś krwistoczerwonego. – Co to jest? Jakaś wędlina? Klops? Pasztet? Taki czerwony?

– No właśnie nie jestem pewien, co to jest, dlatego kupiłem – wyjaśnił Sławek. – Nazwę napisałem sobie na karteczce, bo zrobiła na mnie wrażenie, choć wywołała skojarzenia bardziej kanibalistyczne niż konsumpcyjne... Dziwne rzeczy sprzedają w tym Kraśniku – stwierdził filozoficznie.

Marylka niecierpliwie wyszarpała foremkę z woreczka i ostrożnie powąchała.

– A, to czerwone na wierzchu to papryka – skonkludowała i spojrzała na męża. – Uważasz, że co to jest? Mam spróbować?

– Nie wiem, czy powinnaś. – Lipski pokręcił głową. – Z nazwy wynika, że ta foremka zawiera podejrzane elementy. Dla mnie podejrzane – uściślił.

– Sławuś, mów porządnie! Jakie podejrzane? To jak to się nazywa?

Sławek wyciągnął z kieszeni spodni pognieciona ulotkę po jakimś lekarstwie, rozprostował ją, obrócił w ręku i z namaszczeniem przeczytał:

– „Babeczka z makreli, wędzony luz dziadka".

Marylka zamarła ze zgrozy, bo poczuła, że jej mózg odmówił właśnie współpracy z przegrzania. Nie była w stanie przyswoić sensu słów wypowiedzianych przed chwilą przez męża.

– Możesz powtórzyć? – poprosiła słabo. – Babeczka z makreli dotarła, ale reszta mi chyba umknęła...

– Proszę cię bardzo. – W głosie Sławka dźwięczała niezrozumiała satysfakcja. – „Wędzony luz dziadka" – przeczytał, starannie oddzielając poszczególne słowa.

Marylka zamrugała oczami z nadzieją, że pobudzi w ten sposób do działania swoje zwoje mózgowe. Nie pomogło. Wędzony luz dziadka absolutnie nie kojarzył się jej żywieniowo.

– Dziadki to już chyba mają głównie luzy – bąknęła niepewnie i z wyraźnym obrzydzeniem dodała: – Ale dlaczego wędzone? To mi zakrawa na paskudną insynuację i kojarzy się z brakiem higieny. Błee... Nie mam pojęcia, co wspólnego ma nieszczęsna makrela z dziadkiem i wcale nie chcę wiedzieć! Zabierz to! Nie jestem kanibalem i nie życzę sobie w domu żadnych resztek z dziadków!

Wcisnęła mężowi blaszkę w ręce i nagle coś jej się przypomniało.

– Kupiłeś te kawałki dziadka, a gdzie chipsy?! – zapytała strasznym głosem.

– Też kupiłem – uspokoił ją Sławek. – Są w tej drugiej torbie. Zwykłe, solone, jak chciałaś... Słuchaj, może Belzebub toto zeżre? Jakoś głupio wyrzucać...

– Sam możesz zeżreć! – nie wytrzymała Marylka. – Nie będę zwierzątka pasła produktami jakiejś zwyrodniałej firmy!

Matka Marylki zawsze wpajała jedynej córce, że mężczyzna nakarmiony to mężczyzna zadowolony z życia, jego zadowolenie zaś przekłada się na ustępliwość, co daje mądrej niewieście prawie nieograniczone możliwości. Marylka przyswoiła sobie te nauki, choć korzystała z nich rzadko, bo była kobietą pracującą, a wolne chwile chętniej spędzała przy dobrej książce niż w kuchni. Podstawy domowej gastronomii miała jednakże opanowane, a że bardzo ceniła swój wolny czas, stała się mistrzynią potraw szybkich i sycących, które nie wymagały męczącego sterczenia przy garach. Od powolnego, celebrowanego pichcenia był Sławek; on akurat uwielbiał zabawę w kucharza.

Tym razem Marylka dołożyła wszelkich starań, by menu dla gości było urozmaicone, smaczne i jadalne mimo tropikalnego upału, który do jedzenia zniechęcał. Zrobiła trzy sałatki: podstawą jednej był makaron przypominający ziarna pszenicy, bazą drugiej – odkryta niedawno kasza bulgur, w trzeciej zaś królowały malutkie czosnkowe grzaneczki z przeróżnymi dodatkami. Na dużym półmisku podała pachnące pomidorami i bazylią caprese, obok postawiła drugi – z jajkami nadziewanymi pastą z wędzonego łososia. Przy każdym nakryciu dołożyła miseczkę z chipsami, a czareczki z własnoręcznie zrobionymi dipami do nich poutykała pomiędzy półmiskami. Woda mineralna i piwo chłodziły się w czeluściach lodówki – wszystko było przygotowane.

Marylka jeszcze tylko przeprowadziła pedagogiczną pogawędkę z Belzebubem i poszła na górę, żeby się przebrać.

Sławek usiadł na kanapie i ogarnął łakomym spojrzeniem zastawiony stół. Marylka zwykle krzywo patrzyła na kulinarne śmiecie – jak określała chipsy – więc rzadko miał okazję, by jadać zrobione przez nią dipy. A uwielbiał je, bo za każdym razem stanowiły smakową niespodziankę – żona przejawiała dużą inwencję w dobieraniu do nich dodatków.

Wpatrzonemu w pożywienie Sławkowi pociemniało nagle przed oczami. Chwilę trwało, nim dotarło do niego, że Belzebub osobiście postanowił sprawdzić, co znalazło się na stole.

– Kurza twarz! – krzyknął, poderwał się i złapał kocura w ostatnim momencie. Belzebub, przyciągnięty kuszącym zapachem wędzonego łososia, postanowił przeprowadzić degustację i właśnie się przymierzał do konsumpcji.
– Twoje jest w kuchni – skarcił kota Lipski. – Takie samo, tylko bez jajka. To jest dla gości i dobrze ci radzę, pilnuj się parteru, bo jak cię Marylka zobaczy w stanach górnych, będziesz miał przechlapane.

Belzebub łypnął na niego z pogardą. Skąd u tych dwunożnych przekonanie, że w ogóle posiadają inteligencję? Przecież wiadomo, że to, co w kociej misce, i tak jest nietykalne dla ludzi. To własność kota i koniec. Nie ucieknie nigdzie, nikt nie ośmieli się po to sięgnąć. Może poczekać. Ludzkie żarcie to już zupełnie inna sprawa. Najpierw je długo przygotowują, torturując nieszczęsnego kota cudownymi zapachami, a potem wszystko znika w tych żarłocznych ludzkich paszczach. Żeby go spróbować, nie ma innego wyjścia, jak obsłużyć się osobiście.

Przez chwilę Belzebub zastanawiał się, czy nie powinien demonstracyjnie się obrazić i zniknąć w swoim pokoju. Zrezygnował jednak, dumnie zadarł ogon, syknął w stronę Sławka coś obraźliwego i powędrował na ulubioną szafę.

Marylka była uszczęśliwiona. Sąsiedzka wizyta okazała się sukcesem. Pierwsze lody przełamał Belzebub.

Na widok gości kocur wystawił spomiędzy paproci czarną łepetynę, przyjrzał im się z uwagą, a dojrzawszy szczery zachwyt w oczach Luki, porzucił wyżyny i zdecydował się zawrzeć bliższą znajomość. Zwłaszcza że pani redaktor nie pojawiła się z pustymi rękami. Zestaw miękkich piłeczek, które po rzuceniu kilkakrotnie odbijały się od podłoża, wielki fioletowy robal wprawiany w ruch za pomocą przytyka na brzuchu, myszka z kocimiętką, myszka z dzwoneczkiem zamiast ogona – wszystko to życzliwie usposobiło kocura, wobec czego ulokował się na kanapie obok ofiarodawczyni, mrucząc donośnie, kiedy go głaskała. Łukasza potraktował jako dodatek do Luki i nie zwracał na niego uwagi.

Marylce ulżyło, bo miała obawy, że Belzebub zademonstruje swoje humory. Jeszcze większą ulgę poczuła, gdy Szczęśni zaraz po wejściu zaproponowali, by porzucić oficjalne formy i przejść na „ty".

Po wymianie sąsiedzkich uprzejmości, niezobowiązującej rozmowie o pracy i życiu w kraśnickich realiach, po poczęstunku, przy cudownie zimnym piwie Luka pierwsza podjęła temat, który był impulsem do wizyty.

– Marylka, ty wciąż spacerujesz z Belzebubem?

– A wiesz, że nie? – Gospodyni uświadomiła to sobie ze zdziwieniem. – Wychodzę z nim do ogrodu, ale na dalsze wyprawy się nie rwie. Właściwie to tylko trzy razy domagał się przechadzki na zewnątrz. Wtedy jak te…

– No właśnie – przerwała Luka. – Masz jakiś pomysł, dlaczego akurat wtedy?

– Jasne. – Marylka uśmiechnęła się szeroko. – Jestem magistrem farmacji i ogólne pojęcie o biologii mam. Też mnie to męczyło i poczytałam sobie trochę na ten temat. Koty mają gorszy węch niż psy, ale są bardzo wyczulone na związki, w których jest azot. Żaden nie tknie zepsutego jedzenia. Podejrzewam, że Belzebub coś takiego musiał wyczuć, a przecież zapach już kojarzył, bo ten nasz kurhanek rodzinny przez parę godzin leżał w domu.

– Też się nad tym zastanawiałem – przyznał Łukasz. – Przez chwilę byłem skłonny uznać, że macie kota jasnowidza, ale trochę poczytałem w internecie i wyciągnąłem wnioski.

– Rozumiem. – Luka przyjęła wyjaśnienie i od razu zadała kolejne pytanie: – Coś mnie jeszcze zastanawia… Wszystkie zabójstwa miały miejsce w piątki, a w sobotę Belzebub domagał się spaceru. Czy gdyby to były inne dni tygodnia, też wiedziałby, że w pobliżu są zwłoki?

– Nie sądzę. – Marylka pokręciła głową. – To już chyba czysty przypadek, że tak się złożyło. Pracujemy w ciągu tygodnia. Dopiero od niedawna możemy sobie pozwolić, żeby w soboty mieć wolne. I tylko wtedy mam czas, żeby wyprowadzać Belzebuba do ogrodu na dłużej. Gdyby był w domu, nawet mimo otwartych okien, raczej nic by nie poczuł. Czasem wieczorem wyprowadzałam go na chwilę przed dom… A, raz na taki krótki wypad trafił nasz sąsiad i ten szklarz – przypomniała sobie. – Belzebub wkurzył się na nich wtedy, bo podeszli za blisko do ogrodzenia.

Luka parsknęła śmiechem i pogładziła lśniące futerko leżącego obok niej kocura.

– To rzeczywiście kot obronny. Goni intruzów ze swojego terenu.

Sławek, który do tej pory – syty i zadowolony – przysłuchiwał się rozmowie, dojrzał w oczach żony niecierpliwość, zapowiadającą, że za chwilę goście zostaną zarzuceni gradem pytań. Postanowił włączyć się do dyskusji, nim Marylka ją zmonopolizuje.

– Mogę jeszcze uwierzyć, że Belzebub wyczuł zwłoki, bo mu się ich zapach kojarzył z naszym kurhankiem. Ale skąd on wiedział, że ten cały Drabek włamuje się do cudzego domu? Tamtą posesję też uznał za swój teren? Tego nie rozumiem…

– Szczerze mówiąc, ja też nie – przyznał Szczęsny. – Faktem jest, że udało mu się upolować mordercę. Wszyscy się nad tym zastanawialiśmy. Gdyby to był kot wychodzący, można by podejrzewać, że natknął się na Drabka gdzieś w okolicy i go zapamiętał, ale…

– Belzebub nigdzie sam nie chodzi – przerwała stanowczo Marylka. – To po prostu najmądrzejszy kot na świecie!

Rozwalony na kolanach Luki kocur spojrzał na nią z miną sfinksa i potwierdził opinię donośnym miauknięciem.

– To ten włamywacz mordował?! – Sławek zbladł. – A ja zostawiłem z nim Marylkę samą i poleciałem, żeby sierżanta wpuścić... Mógł ją...

– Oj tam, oj tam. – Marylka wzruszyła ramionami. – Nic nie mógł, bo Belzebub go rozpłaszczył na podłodze... Sławuś, no skąd mogłeś wiedzieć? Przecież oboje tam polecieliśmy tylko z powodu Belzebuba... Zaraz! On jest listonoszem? Bo dziewczyny z apteki upierały się, że wiedzą z pierwszej ręki, że to listonosz mordował. Podobno typował ofiary, kiedy roznosił pocztę. I całą listę nazwisk przy nim znaleźli...

– Jasne! – prychnął Łukasz z irytacją. – A na samym szczycie tej listy pewnie było nazwisko Majewskiej!

– Opowiedz od początku – zaproponowała spokojnie Luka. – Nie chcę pisać sensacyjnego artykułu o kraśnickim zabójcy, ale nie przestają mnie fascynować kręte ścieżki, jakimi podążają ludzkie umysły. Co sprawia, że zwykły, przeciętny człowiek staje się mordercą... Opowiadaj, Łukasz.

– A ja bym chciała wiedzieć, dlaczego ten morderca podrzucał swoje ofiary akurat koło nas? – W głosie Marylki dźwięczała uraza. – Jeśli był listonoszem, to mógł gdziekolwiek. Belzebub się specjalnie nie zestresował tym razem, ale ja owszem.

– Wiecie, co jest w tym wszystkim najgorsze? Gdyby nie przypadek, mogliśmy tego drania nigdy nie złapać – powiedział Szczęsny z irytacją i wziął głęboki oddech. – Dyskrecji Luki jestem pewien, ale i was bardzo proszę, żeby wam się nic z tego, co teraz powiem, nie wyrwało dalej. Wernerowi zależało, żeby Szklarski nie dowiedział się prawdy o swojej żonie. Uważał ją za anioła i boleśnie przeżył jej śmierć. Gdyby prawda się rozeszła, tutejsze plotkary żyć by mu nie dały...

Marylka rzuciła mu pełne urazy spojrzenie.

– Do ciekawości się przyznaję, ale plotkarą nie jestem. O kurhanku też nie meldowaliśmy całemu miastu, tylko sami zabraliśmy się do roboty – oświadczyła naburmuszona, ale zaraz uczciwie dodała: – No, wiem, że policji ta nasza działalność dokopała... O rany, Łukasz, to chyba oczywiste, że nie będziemy kłapać na ten temat! Nawet nie ze względu na sąsiada. Nasz personel wsysa takie informacje jak gąbka i wylewa każdemu, kto zechce słuchać... Co ta żona zrobiła? Nigdy tam obok żadnej żony nie widziałam...

– Maminka mówiła, że to wdowiec – przypomniał jej Sławek.

– Przeprowadziliście się do Kraśnika w lipcu zeszłego roku. A Bożena Szklarska zmarła w lutym – wyjaśniła Luka i ostrożnie, by nie płoszyć rozwalonego na jej kolanach kocura, sięgnęła po chipsa i zanurzyła go w stojącej przed nią miseczce z dipem.

– A, chyba że tak... A ten włamywacz upolowany przez Belzebuba to ten listonosz i morderca w jednym? – upewniła się Marylka.

– Jesteś gorsza niż moja teściowa – westchnął Szczęsny. – Nie odpowiadam za rzetelność informacji od Majewskiej i nic nie mówiłem o listonoszu... Zacznę od momentu, kiedy Tadzio przywiózł na komendę tę ofiarę waszego kota. Dosłownie chwilę wcześniej Werner przesłuchiwał Szklarskiego... Byliśmy pewni, że to on odpowiada za te morderstwa, bo wszystko wskazywało na niego. Każda z ofiar korzystała z jego usług, każda miała przy sobie jakiś przedmiot, który wcześniej należał do jego zmarłej żony, zażywał walerianę, a jej ślady znaleźliśmy na ciałach, no i wreszcie był właścicielem łączki, na którą podrzucano zwłoki...

– Sam by sobie podrzucał? – wyrwało się Marylce sceptycznie.

– Braliśmy pod uwagę fakt, że Szklarski nie jest typem osiłka, a tu mu było wygodnie, bo na swoim terenie czuł się bezpieczny...

– A motyw? – zainteresował się Sławek. – Oryginalny on trochę jest z tym swoim „proszęż, proszęż", ale na psychopatę mi nie wygląda...

– Z motywem od początku mieliśmy kłopot – przyznał Łukasz. – Nieważne, jak kombinowaliśmy, nic się kupy nie trzymało. Wiedzieliśmy, że ofiary były sobie obce. Założyliśmy, że elementem, który je łączył, były te różowości należące wcześniej do Szklarskiej. Podejrzewaliśmy, że zbolały wdowiec najpierw zabił żonę, a potem zaczął eliminować kobiety, które mu się z nią kojarzyły. Werner pod kierunkiem znajomego profilera przygotował odpowiednią scenografię. Mieliśmy nadzieję, że ten teatrzyk zrobi na Szklarskim wrażenie i facet pęknie. – Szczęsny skrzywił się i machnął bezradnie ręką. – A on nas całkiem zaskoczył. Ciuchów żony, w jakie przystroiliśmy manekina, w ogóle nie skojarzył, poznał jedynie buty. O tej swojej Bożenie też nie powiedział złego słowa. Przeciwnie. Z tego, co mówił, wynikało, że bardzo przeżył jej śmierć. W dodatku to on ją wtedy znalazł, a że próbował ratować, to i jego prąd popieścił... Bo ona zginęła od porażenia prądem – dodał wyjaśniająco. – Kąpała się i chciała wydepilować nogi, kiedy nastąpiło zwarcie…

– O kurczę! – Marylka zrobiła duże oczy.

– No właśnie… Młoda była, ledwo dwadzieścia sześć lat miała…

– Statystycznie patrząc, to raczej młodsi zabijają starszych – mruknął Sławek. – Jeśli ją ratował, to…

– Zrozumcie, nikt inny nam nie pasował do tej łamigłówki! – jęknął sfrustrowany Łukasz. – Kogo mieliśmy podejrzewać? Ofiary łączyły tylko ciuchy po Bożenie Szklarskiej i ta cholerna waleriana! Pasowało jak cholera!

– Ale mówiłeś, że ta żona coś miała za uszami, tak? – przypomniała Marylka. – To rzeczywiście mogliście podejrzewać…

– Wtedy nic o tym nie wiedzieliśmy. Werner szybko się połapał, że Szklarski jest niewinny i że…

– …ktoś go wrabia? – dopowiedział Lipski.

– Właśnie. Zwłaszcza że kiedy go przywieziono na przesłuchanie, wyglądał, jakby porządnie dostał w szczękę. On złopie tę walerianę jak wodę, bo cierpi na somnambulizm i ma nadzieję, że po zażyciu będzie spał, a nie łaził po domu. Był pewien, że lunatykował i w coś rąbnął. Poza tym upierał się, że mu się przy tym buty śniły…

– Jak szewc, to i buty – mruknęła Marylka i dodała dziękczynnie: – Boże, jak to dobrze, że mnie się żadne leki po nocach nie śnią. Tego bym nie wytrzymała.

– I co z tymi butami? – wrócił do tematu Sławek.

– No właśnie te buty i wielki siniak na brodzie podsunęły mi myśl, że może Szklarski wcale nie lunatykował, tylko

MAŁGORZATA J. KURSA

zaspany natknął się w domu na nieproszonego gościa, który
mu przyłożył – powiedział Szczęsny. – Bo on bardzo dokładnie opisał te buty. Kiedy Tadzio Skotnicki czekał z tym
włamywaczem w sekretariacie, Werner akurat wyprowadzał z pokoju Szklarskiego i ten dosłownie skamieniał na
widok obuwia faceta. Zapamiętał nawet, że na jednym bucie
była plama po różowym lakierze do paznokci. I nasz komisarz od razu zajarzył, że mamy właściwego człowieka.
Drabek najpierw próbował się awanturować. Upierał się,
że został poszkodowany przez wściekłego kota, i domagał
się obdukcji. – Marylka struchlała, a Sławek zesztywniał. –
Wtedy Tadzio bezczelnie zełgał, że na własne oczy widział,
jak Drabek się poharatał w jakichś krzakach podczas próby
ucieczki.

– A co na to Werner? – zapytała zasłuchana Luka.

– Komisarz z sekretariatu zadzwonił po Brożka i powiedział mu, że mamy mordercę, który upiera się, że kot
go uszkodził. Brożek po tym ostatnim zabójstwie chyba sam
chętnie by zastąpił kota. Ta Nikola była młodsza niż jego
dzieci... Nasz doktor to stara zrzęda, ale wrażliwiec. Kiedy
usłyszał, że drań, który ją prawdopodobnie zabił, domaga
się obdukcji z powodu kota, dostał piany na pysku, rzucił
wszystko i natychmiast przyjechał. Z zaciśniętymi zębami
obejrzał te podrapane plecy...

– Bardzo go Belzebub zdemolował? – wyszemrała nieśmiało Marylka.

– Zryty był jak ściernisko – przyznał Łukasz i uśmiechnął się z satysfakcją. – Brożek wypełnił papiery, wysłuchał
opowieści Tadzia, jak to podejrzany zaczął uciekać na jego

widok i władował się w krzaki tarniny przy płocie od strony łączki...

– A tam naprawdę rośnie tarnina? – zdziwiła się Marylka.

– Rośnie – potwierdził Sławek. – Od strony tej dróżki widziałem ze trzy krzaki... Bystry ten sierżant – pochwalił.

– Rozumiem, że Brożek przyjął wersję Tadzia? A co na to Werner? – zapytała Luka z ciekawością.

– Nawet okiem nie mrugnął – powiedział Łukasz z wyraźnym uznaniem. – Drabek szybko sobie odpuścił oskarżanie kota, bo dotarło do niego, że nic nie ugra, i zaczął pyskować, że przyczepiliśmy się do niego, a prawdziwego mordercę wypuściliśmy. I domagał się, żebyśmy natychmiast aresztowali Szklarskiego za zabicie żony. I tu mu się niechcący wyrwało na temat gniazdka w łazience, które iskrzyło. O tym iskrzącym gniazdku wiedział tylko Szklarski i nasza ekipa wezwana przez pogotowie. Kiedy golarka wpadła do wanny, nastąpiło zwarcie. Cud, że korki wytrzymały... I już byliśmy w domu. Zwłaszcza że Tadzio od razu wziął od Drabka odciski, a nasi porównali je od ręki z materiałami z Warszawy. I na serdecznym palcu lewej dłoni nasz podejrzany nosił kuty srebrny sygnet, prezent od Szklarskiej... No a teraz zaczyna się właściwa opowieść. – Szczęsny pociągnął łyk piwa, a pozostała trójka wlepiła w niego wyczekujące spojrzenia. – Pytałaś, co ta żona zrobiła – popatrzył na Marylkę. – Otóż miała kochanka. Konstanty był sporo od niej starszy, kasę dawał, ale widocznie nie zaspokajał łóżkowych potrzeb. Poznali się, kiedy Mariusz Drabek pracował jako listonosz, i przypadli sobie do gustu. Bożena traktowała go jako jednoosobową

MAŁGORZATA J. KURSA

firmę erotyczną i hojnie płaciła za usługi, bo spełniał wszelkie jej fantazje...

– Na przykład? – zainteresował się Sławek.

– Na przykład przebierał się za kominiarza albo za żoł-
nierza, udawał złego psa albo bandziora...

– Matko świętego Jacka! – sapnęła ze zgrozą Marylka. –
Erotomanka!

– Ludzie mają prawo do rozmaitych upodobań, dopóki
nikogo nie krzywdzą z tego powodu – przypomniała łagodnie Luka.

– Drabek stracił pracę – kontynuował Szczęsny – bo bardziej dbał o zadowolenie swojej damy niż o wywiązywanie
się z obowiązków służbowych. Załapał się do firmy kurier-
skiej, ale też szybko wyleciał, bo zawalał terminy. Potem
jeszcze pracował jako akwizytor, a po śmierci Szklarskiej
dostarczał pizzę, żeby jakoś się utrzymać.

– Wkurzył się, bo mu źródełko wyschło? – zasugerowała
uszczypliwie Marylka, której nie mieściło się w głowie, że
młoda kobieta płaciła za usługi erotyczne.

– Wkurzył się, bo kasę od Szklarskiej odkładał na zakup
dobrej klasy motocykla – wyjaśnił Łukasz. – U nas mu się
nie podobało, a ponieważ uznał, że w branży erotycznej jest
już asem, postanowił bryknąć w świat, z nadzieją, że zawsze
trafi na jakąś spragnioną jego usług damę i...

– Żigolak! – fuknęła Marylka z obrzydzeniem.

– Po zgonie Bożeny był wściekły i chciał się odegrać na
Szklarskim, bo to jego uznał za winowajcę. Wbił sobie do
głowy, że to przez skąpstwo małżonka Szklarska zginęła,
a jemu przeszły koło nosa duże pieniądze za usługi. Napi-

236

sał anonim, w którym oskarżał go o umyślne spowodowanie śmierci żony, i wysłał na policję. Miał pecha, bo na komendzie akurat trwała rewolucja. Stary odchodził na emeryturę, szalał już od początku roku i donos Drabka gdzieś przepadł bez wieści. Tadzio się uparł i przetrzepał całe archiwum, ale niczego nie znalazł. Bywa. – Szczęsny wzruszył ramionami niespecjalnie przejęty, bo nie uznawał donoszenia w żadnej postaci. – Mijały miesiące, z Drabka już prawie zeszła para, załapał się do roboty w pizzerii i pewnie nic złego by się nie stało, gdyby nie przypadek...

Oboje Lipscy prawie przestali oddychać. Luka, która znała już większą część tej opowieści, spokojnie zajęła się dopieszczaniem Belzebuba, podstawiającego do głaskania smoliście czarne brzuszysko.

– Pewnego dnia miał zamówienie na Cichą – kontynuował Szczęsny w idealnej ciszy. – Odbiorca mieszkał akurat naprzeciwko warsztatu Szklarskiego. Drabek dostarczył pizzę i już miał wsiadać do samochodu, kiedy zobaczył, że z warsztatu wychodzi kobieta ubrana na różowo. Natychmiast poznał sukienkę Bożeny. W czasie przesłuchania usiłował nam wmawiać, że doznał szoku i przestał panować nad tym, co robi, ale ja podejrzewam, że przypomniały mu się utracone korzyści i zwietrzył okazję, by się zemścić na Szklarskim...

– I dlatego zabił kompletnie obcą babę? – zdumiała się Marylka.

– Zaraz do tego dojdę – obiecał Łukasz. – Najbardziej nas zastanawiało, dlaczego się w ogóle nie broniła. Rozumiem, że w biały dzień ludzie mniej się boją. Nikt nie zakłada, że

obcy, który do niego podchodzi bez żadnego oręża, może
mieć złe zamiary... Drabek poszedł za Gburkową, a kiedy
się odwróciła, powiedział, że osa jej siedzi na szyi. Kazał jej
stać spokojnie, a potem ją udusił i zaciągnął na łączkę.

– Łapy faktycznie miał jak bochny – przypomniał sobie
wstrząśnięty Sławek. – Boże, i ja Marylkę z nim...

– Przestań, Sławuś – skarciła go równie wstrząśnięta
małżonka. – I co dalej?

– Widziałaś tę wielką kępę pokrzyw. Sama byś nie dojrzała ciała, gdyby nie Belzebub.

Marylka skinęła głową.

– No właśnie. Drabek wetknął zwłoki tak, żeby nie były
widoczne z drogi, i spokojnie wrócił do pracy. Potem przy-
szło mu do głowy, że może policji ułatwić śledztwo i skiero-
wać podejrzenia na Szklarskiego, jeśli zostawi na ofierze ślady waleriany. Kupił ją w aptece, odczekał, aż zapadnie noc,
i wrócił na łączkę, by zrealizować swój plan...

– A! To może Belzebub wcale nie wyczuł nieboszczki,
tylko walerianę – zasugerowała Marylka z niejaką ulgą, bo
nieco przerażała ją myśl, że efektem kolejnych spacerów
mogą być truchła jakichś zwierząt.

Kocur łypnął na nią z politowaniem, zeskoczył na dywan, przeciągnął się rozkosznie i uznał, że pora na rekreację
wśród paprotek. Dwunożni ani nie oferowali mu żadnych
smakołyków, ani nie mieli nic ciekawego do powiedzenia.

– Być może – zgodził się Łukasz i ciągnął: – Potem Drabek przypadkowo natknął się na Mariannę Skórkę i zobaczył
u niej torebkę, którą doskonale pamiętał, bo należała do Bożenki. Pomyślał, że to jeszcze bardziej obciąży Szklarskiego.

Nie miała żadnych oporów, bo znała go z czasów, kiedy pracował jako listonosz. Biedaczka uwierzyła w tę osę i też wylądowała na łączce. Butelkę z walerianą miał przy sobie. Nikolę już świadomie wypatrzył, bo właśnie stracił pracę i całymi dniami obserwował warsztat Szklarskiego. No i miał ślepy fart, bo akurat nasz patrol odpuścił sobie obowiązki i pojechał się dożywiać. Idealnie zmieścił się w czasie. Kiedy policjanci wrócili na Cichą, on spokojnie już wracał naszą ulicą w stronę miasta. Po tym zabójstwie Werner dostał szału i przykręcił wszystkim śrubę. Cicha stała się najlepiej strzeżoną ulicą w mieście i Drabek doszedł do wniosku, że dalsze wrabianie Szklarskiego staje się niebezpieczne. Postanowił przynajmniej oskubać go z kasy. Włamał się do niego w nocy. Od Bożeny wiedział, że jej małżonek czasami lunatykuje, ale wcale się nie obawiał, że zostanie przyłapany. Szybko znalazł kartę, ale bez PIN-u była bezużyteczna. Musiał przeglądać zawartość laptopa Szklarskiej, bo znaleźliśmy jego odciski, ale po śmierci żony Konstanty zlikwidował jej konto... – Szczęsny nieoczekiwanie uśmiechnął się i w jego oczach błysnęło rozbawienie. – Drabek był pewien, że Szklarski to zramolały staruszek, który numer PIN-u nosi przy sobie w portfelu. I tu się naciął, bo szewc go nigdzie nie zapisał. Doskonale go pamiętał, ponieważ skojarzył sobie, że dwie pierwsze cyfry to numer buta jego żony, a dwie kolejne – jego obuwia. On nawet znajomych bardziej zapamiętuje po butach niż po twarzach...

– To już jakieś zboczenie zawodowe – mruknęła Marylka.

– Ale przydatne. Dzięki temu zboczeniu błyskawicznie rozpoznał Drabka, po butach właśnie – odparł Łukasz. – Szklarski przyłapał Mariuszka na przeszukiwaniu domu, był jednak na tyle zaspany, że uznał to za sen. Twarzy nie miał szans zobaczyć, bo Drabek mu od razu przyłożył, ale buty zapamiętał. Szewc stracił przytomność, a włamywacz zwiał. Drabek był wściekły, ale nie odpuścił. Przez następne dni od rana obserwował warsztat i kombinował, co dalej. Kiedy zobaczył, że Szklarskiego zabiera nasz radiowóz, uznał, że dopiął swego. Musiał jeszcze tylko znaleźć PIN, wyjąć kasę z bankomatu i mógł już znikać z Kraśnika. I wtedy do akcji wkroczył wasz Belzebub…

Marylka pokraśniała z dumy, a Sławek ostrożnie zapytał:

– A gdyby nie Belzebub, złapalibyście tego bandziora?

– Wcale nie jestem tego pewien – powiedział uczciwie Łukasz. – Mieliśmy odciski, ale nie było ich z czym porównać, bo Drabek nigdy nie był notowany. Musiałby gdzieś coś zmalować i trafić do bazy. Tyle dobrego, że nie poszedłby siedzieć niewinny człowiek, bo ślady na szyjach ofiar wykluczały Szklarskiego.

Lipski dopił duszkiem swoje piwo i poszedł do kuchni po następne.

– Przypadek rządzi światem – oznajmił, stawiając na stole oszronione butelki. – Nie napawa mnie to optymizmem. Prawdę powiedziawszy, wolałem się łudzić, że mam jakiś wpływ na swoje życie.

– A dlaczego uważasz, że nie masz? – zainteresowała się Marylka.

– Po wysłuchaniu tej historii nabrałem wątpliwości.

– Nie wyglądasz na takiego, który wiele zostawia przypadkowi. – Łukasz uniósł brwi. – Należysz raczej do tych, co wolą sami pomóc losowi.

– A czy Drabek chociaż kochał tę Bożenę? Bo może z miłości tak mu odbiło, że mordował? – podsunęła z nadzieją Marylka.

– Szukasz okoliczności łagodzących? – Szczęsny pokręcił głową. – Nic z tego. Kiedy się wygadał, że widział martwą Szklarską w wannie, Werner od razu zasugerował, że sam ją zabił, choć wiedzieliśmy, że to był po prostu nieszczęśliwy wypadek. Drabek ani słowem nie pisnął o wielkich uczuciach do zmarłej, tylko się wściekł i warknął, że musiałby być idiotą, by zabijać kogoś, kto mu tak dobrze płacił. To go najbardziej bolało: że odebrano mu główne źródło dochodów.

– I z tego powodu mścił się na obcych babach? – nie dowierzała Marylka. – I wybierał te, które nosiły ciuchy po Szklarskiej?

– Wybierał te, bo miał nadzieję, że to nas naprowadzi na Szklarskiego. On się nie mścił na tych kobietach, tylko na mężu swojej pracodawczyni – wyjaśnił Łukasz. – Uznał, że to przez niego skończyło się eldorado, i postanowił go ukarać. Gdyby Szklarskiego oskarżono o te morderstwa, automatycznie śmierć Bożeny też wydałaby się podejrzana... Przyznał, że był świadkiem, jak Konstanty pozbywa się tego różowego lustra po żonie...

– Trudno, żeby normalny facet trzymał w domu coś takiego – mruknął z dezaprobatą Sławek.

– Prawda – zgodził się Szczęsny. – Ale Drabkowi od razu się przypomniało, że policja nie zareagowała na jego donos. Szklarski wciąż cieszył się wolnością i biedy nie cierpiał, a jemu wiodło się coraz gorzej. Werner jest pewien, że już wtedy Drabek zaczął kombinować, jak dokopać szewcowi.

Przy przeszukaniu znaleźliśmy mały kalendarzyk. Macie pojęcie, że on sobie po śmierci Szklarskiej co miesiąc zapisywał, ile kasy go ominęło? – Łukasz pokręcił głową z niedowierzaniem i spojrzał na Marylkę. – Dlatego zapomnij o wielkiej miłości. On raczej chyba w ogóle nie słyszał o jakiejkolwiek empatii. To egoista skoncentrowany na własnych potrzebach. Gburkowa miała po prostu cholernego pecha, bo to właśnie jej widok w ciuchach po Bożence podsunął Drabkowi pomysł, jak wrobić szewca. Potem poszło już z górki...

– Myślisz, że gdybyście... gdyby Belzebub go nie dopadł, zabijałby dalej? – zapytała cicho Luka.

– Upiera się, że już miał dosyć i chciał tylko prysnąć w świat. – Szczęsny wzruszył ramionami. – My uważamy, że nie tyle miał dość, ile bał się, że w końcu wpadnie. Dlatego włamał się do domu Szklarskiego. Miał nadzieję, że wyrówna straty finansowe i zniknie z Kraśnika. A Werner jest pewny, że prędzej czy później wypłynąłby gdzieś, bo jeśli ktoś raz zabił bezkarnie, zabije i drugi...

– W każdym razie nasz Belzebub osobiście wymierzył sprawiedliwość – stwierdziła Marylka z zadowoleniem. – Zawsze uważałam, że zwierzęta są od nas o wiele mądrzejsze. I dzięki Bogu, że on nigdzie sam nie chodzi, bo przecież mógł trafić na tego bandziora... Matko, ten Drabek mógł go zabić!

Luka pocieszająco pogładziła ją po ramieniu, a Sławek i Łukasz spojrzeli na siebie porozumiewawczo. Pierwszy miał w oczach obraz Belzebuba wczepionego jak kleszcz w pechowego włamywacza, drugi – sam oglądał ślady kocich poczynań.

Z wysokości szafy przyglądał im się złocistymi oczami czarny kocur. Dyskusji słuchał z pobłażaniem. Czy naprawdę tak trudno zrozumieć, że żaden szanujący się kot nie zapomni wyrządzonej mu krzywdy? W sumie biedni ci dwunożni. Z rozumu przeważnie nie korzystają, nie dysponują czułymi wąsami, silnymi pazurami, mocnym ogonem, nie wyczuwają emocji... Cóż oni by poczęli bez kota? Przecież tak naprawdę to było śledztwo na cztery kocie łapy i jeden ogon...

SŁÓWKO OD AUTORKI

Cała opowieść to, rzecz jasna, fikcja, za którą odpowiada moja wyobraźnia. Nie spotkacie w Kraśniku żadnego z bohaterów tej historii. Natomiast na wędzony luz dziadka, czyli babeczkę z makreli, natknęłam się osobiście w jednym z tutejszych marketów i uznałam, że tak nietypowe zjawisko kulinarne powinno znaleźć się w książce.

Istnieje też Belzebub i choć w rzeczywistości nosi inne imię, wygląda inaczej i z nieboszczykami nigdy nie miał do czynienia, to naprawdę jest mistrzem demolki oraz wszelkich prac rozbiórkowych.

Doceniajcie swoje zwierzaki, bo nie znacie dnia ni godziny…

PODZIĘKOWANIA

Serdecznie dziękuję Grażynie Strumiłowskiej oraz Przyjaciółkom z portalu Książka zamiast Kwiatka za cierpliwość i podtrzymywanie na duchu.

Franiowi, kociemu redaktorowi portalu – za inspirację dla poczynań Belzebuba.

Piotrowi Olszówce – za pozytywną energię i Otylię Gburek.

Przemiłym Paniom z apteki Herba – za wyjaśnienia, dzięki którym mogłam sobie wyobrazić, jak wygląda praca Marylki i Sławka.

Z całego serca dziękuję mojej córce Monice.

Polecamy inne książki z serii

Babie lato

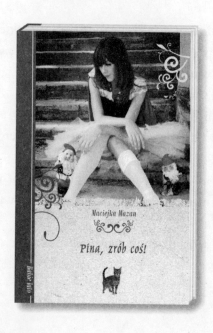

Jacuś objawił się małoletnim odbiorcom w czerwonym świetle reflektora i kłębach sinego dymu, przy wtórze grzmotów. Na widowni po raz pierwszy zrobiło się autentycznie cicho. Wtedy rozległ się upiorny śmiech, wzmocniony pożyczoną kamerą pogłosową. Wynalazek ten, ukryty pod płaszczem Złej Królowej, sprawił, że cyfrowo wygenerowany głos Jacusia stracił ludzkie brzmienie i bardzo kojarzył się z horrorami o opętaniu. Parę co słabszych psychicznie dzieci zaczęło płakać. Reszta siedziała z wniebowziętymi minami i nie odrywała spojrzenia od Jacusia, który przeszedł przez scenę, przewracając oczami o doklejonych rzęsach.

Pina, Waltrauta, Weronika, Adrian, Helena, Monia i Jacuś są stworzeni do występowania przed publicznością, choć zrządzeniem losu na ogół bywa to publiczność przedszkolna. Przyjaciół różni niemal wszystko, łączy zaś… panika. Przymuszeni okolicznościami bohaterowie próbują bowiem zebrać zawrotną sumę, którą dotąd znali tylko ze słyszenia. Postawieni przed wyborem – czy narazić się na śmieszność, czy żyć ze świadomością, że zawiedli – radośnie wybierają śmieszność. I postanawiają zostać gwiazdami konkursu talentów…

Iwona Banach

Lokator do wynajęcia

W maleńkiej górskiej wiosce dwie niezbyt grzeczne staruszki coś knują... Wkrótce przeszkodzi im niejaka Miśka, z zawodu lokatorka do wynajęcia, a także jej towarzysz – mięśniak o duszy romantyka, który boi się nawet pająków. To jednak nie koniec atrakcji. Para nieobliczalnych psów umila życie wszystkim dookoła, nie wyłączając policjantów, w domu panoszy się wisielec, tajemnicza siła rzuca nożami i maszynką do mięsa... ale najgorsi są górale. Choć nie, najgorsze są góralki. Żadne zjawiska nadprzyrodzone nie wytrzymują konkurencji. A gdy na horyzoncie pojawia się morderca, niemal na nikim nie robi to już większego wrażenia.

Autorka lojalnie ostrzega swoich czytelników: każda, nawet przypadkowa interakcja z góralami może zagrażać zdrowiu i życiu, a przed wyjazdem do Zakopanego bezwzględnie należy odwiedzić lekarza lub farmaceutę.

Iwona Banach

Szczęśliwy pech

Główna nagroda w konkursie literackim Wydawnictwa „Nasza Księgarnia"!

Pewnego dnia w życiu całkiem spokojnego mężczyzny pojawia się dziewczyna o dziwnym imieniu. Jest to osoba szalenie pomysłowa – i szczególnie dobrze jej wychodzi wywoływanie wszelkiego rodzaju kataklizmów. Dom grozi zawaleniem, w pobliżu krąży seryjny morderca, a tajemniczy mafioso pastwi się nad językiem polskim i zrywa podłogi… Czy w tak ekstremalnych warunkach zakwitnie miłość? Trudno powiedzieć, skoro obdarzona nie byle jakim temperamentem Regi woli rzucać kilofem i wyzwiskami, zamiast wzdychać przy świetle księżyca.

Szczęśliwy pech to książka o tym, że każda, nawet najbardziej niebezpieczna dla otoczenia jednostka ma szansę znaleźć szczęście i że szczęściem może być również kilka dziur w ścianach, względnie latająca rynna. Szczęścia starczy dla każdego i dla wszystkich, trzeba tylko… omijać z daleka Reginaldę Kozłowską.

Dagmara musi zająć się dziadkiem przez kilka dni. Nic prostszego? Nie w tym przypadku! Starszy pan zafunduje jej wakacje w zrujnowanym szpitalu psychiatrycznym na Roztoczu. Ludzie są tu mili i spokojni, szkoda tylko, że akurat ktoś postanowił wymordować pół wioski. No cóż, są miejsca, gdzie nawet najbłahsze urazy starannie się pielęgnuje, by z czasem wyrosły na porządne spory sąsiedzkie, i Utopce to jedno z tych uroczych miejsc. Warto je odwiedzić! Tutaj można się zakochać... na zabój!

Ta książka to ostrzeżenie! Nieodpowiedzialne zachowanie może spowodować katastrofę w ruchu lądowym i kłopoty matrymonialne, nieboszczyk w płynie nie wpływa dobrze na cerę, a konkursy esemesowe mogą być przyczyną śmiertelnego zatrucia...

Wydawnictwo NASZA KSIĘGARNIA Sp. z o.o.
02-868 Warszawa, ul. Sarabandy 24c
tel. 22 643 93 89, 22 331 91 49,
faks 22 643 70 28
e-mail: naszaksiegarnia@nk.com.pl

Dział Handlowy
tel. 22 331 91 55, tel./faks 22 643 64 42
Sprzedaż wysyłkowa: tel. 22 641 56 32
e-mail: sklep.wysylkowy@nk.com.pl
www.nk.com.pl

Książkę wydrukowano na papierze
Creamy Hi Bulk 60 g/m² wol. 2,4.

ZiNG

Redaktor prowadzący *Joanna Wajs*
Opieka redakcyjna *Magdalena Korobkiewicz*
Redakcja *Ewa Mościcka*
Korekta *Przemysław Komenduła,*
Małgorzata Ruszkowska, Jolanta Gomółka
Opracowanie DTP, redakcja techniczna
Paweł Nowicki

ISBN 978-83-10-13193-5

PRINTED IN POLAND

Wydawnictwo „Nasza Księgarnia", Warszawa 2018 r.
Wydanie pierwsze
Druk: EDICA Sp. z o.o., Poznań